D1095261

GLI SPECCHI

Bernardo Caprotti

Falce e carrello

Le mani sulla spesa degli italiani

prefazione di Geminello Alvi

Marsilio

© 2007 by Marsilio Editori® s.p.a. in Venezia
Prima edizione: settembre 2007
ISBN 978-88-317-9372
www.marsilioeditori.it

INDICE

Le tabelle citate da Geminello Alvi
sono riportate al termine della prefazione.
Gli allegati al testo di Bernardo Caprotti
sono riprodotti in un'apposita sezione
impaginata alla fine, prima dell'appendice.
Tutta la documentazione originale
relativa ai fatti esposti in questo libro
è a disposizione di chiunque
abbia interesse a consultarla presso
la direzione di Esselunga,
via Giambologna 1,
20096 Limito di Pioltello (Milano).

RINGRAZIAMENTI

Il mio grazie va a Geminello Alvi che, con la sua prefazione, ha dato una dignità a questo scritto artigianale.

E a Stefano Lorenzetto, senza il quale mai avrei fatto – si fa per dire – lo scrittore. Egli ha fermamente voluto che io scrivessi la mia storia in prima persona: «Dall'alto della sua età, del suo silenzio, e dei suoi soldi», diceva. Spero di non averlo troppo deluso.

Infine ringrazio Carlo Rossella, che lo scorso anno disse: «Non va».

B.C.

PREFAZIONE
di Geminello Alvi

Per chi scriva come me per mestiere è almeno curioso quanto accade mentre inizio questa prefazione. Il farlo mi colma di orgoglio, e di senso del dovere. Strano sentire, che rende insignificante il resto, e mi fa scrivere con delicatezza di un libro che, alla prima lettura, m'era venuto addirittura quasi di sconsigliare. E invece adesso che ho appena finito di riorganizzarmelo nella mente, m'entusiasma. Perché questo libro di denuncia possiede una tutta sua geometria, nella quale ogni dettaglio si incastra con calma concretezza. Ed è già raro che scrivendo d'argomenti economici ci si riesca.

Ma meno consueto è ancora avere il privilegio di vedere incarnate delle idee così concrete e franche in una vita vera. E questo è l'orgoglio: avere ancora davanti il viso tenace, di un tratto infantile e però pervaso di una furia del dettaglio meticolosa, di Bernardo Caprotti. E accorgermi che è l'esempio della sua vita che dà ai numeri, e persino alle furie di questo libro, una forza di verità toccante. Altro che i manuali universitari sulla concorrenza o le storie del boom, o gli sproloqui dei convertiti al liberismo. Qui c'è un libro di economia sul bene, e i troppi mali dell'Italia, ma esemplificati nella grande storia di una impresa e di una vita. Perché questo di Caprotti non è un libro di vile polemica politica, di quelle che ogni sera ci tocca di digerire solo aprendo la Tv, nello smentirsi reciproco, senza mai prova dei politicanti. È piuttosto uno splendido trattato di economia, il cui criterio di verità è il bilancio di una vita. Chi lo leggerà, se onesto, se ne sentirà contagiato e infine persuaso.

Ed eccolo trentaduenne Caprotti, mentre, inorgoglito cogli occhi resi ancora più appuntiti dalla precoce stempiatura, guarda una cassiera che fa bene il suo dovere e digita alla cassa. La foto è vecchia di cinquanta anni, e ritrae lì accanto anche il senatore Mario Crespi, in visita al primo supermarket di Milano, di cui pure lui era azionista. Ma a saltare fuori dal bianco e nero ancora adesso è quella certa posa diritta di Caprotti, complice e compiaciuta; così orgogliosa di come tutto funzioni. Molto potrebbe dirsi di come il modello americano di supermarket fu importato in Italia e del perché ebbe poi successo. Due anni fa è stato pure scritto un agile libro di storia che ne illustra con efficacia le vicende, e spiega quanto siano stati decisivi il via degli americani e i vantaggi d'essere il first mover in questo settore.

Tuttavia senza questo viso di Bernardo Caprotti, senza un tenace intento di verità, e quella sua furia del dettaglio che diventa orgoglio per gli altri, non si riuscirebbe, io temo, a capire. La integrazione verticale tra produzione e sistema di vendita, i prezzi competitivi, la standardizzazione: spiegano, certo. Ma senza l'imprenditore Caprotti non si può capire Esselunga; perché essa abbia le più alte vendite per metro quadrato dell'area dell'euro. Peraltro il nostro può dirsi l'ultimo grande nome del boom italiano che ancora amministri una grande impresa. Egli è ormai l'ultimo operoso della generazione d'imprenditori nati tutti nell'anteguerra, che cambiarono l'Italia. L'operosità frugale della Brianza, quanto di tranquillizzante sempre l'accompagna, la lealtà, le minuzie dell'impresa tessile di famiglia erano in lui. Perciò nella epica della grande distribuzione e del miracolo economico egli seppe innestare i migliori caratteri organizzativi, e morali del vecchio agire. Innesto non facile ma agevolato dall'esperimento subito concretissimo di quel giovane della classe 1925, che dal padre viene appunto inviato in America. In Texas prima, quindi meccanico di macchine per la filatura del cotone e telai nel Maine, quindi tra lo scintillio dei grattacieli di New York. E in questo viaggio d'istruzione c'è un'avventura non dissimile da quella di un Adriano Olivetti. La Brianza o il Canavese si rinnovano in America nel loro meglio. E infatti non solo vengono gli inebrianti successi delle industrie tessili tra il 1952 e il 1965.

Ma poco più che trentenne Caprotti si lancia pure entusiasta nei supermarket. Si legga qui il bel pezzo nel quale descrive il suo colloquio con la madre e l'annuncio che non sarebbe più tornato ad Albiate. Il fervore dei supermarket, della impresa americana lo contagiarono: «Il nuovo business era molto più dinamico, molto più coinvolgente, assai più del tessile, e ben più di quanto non avessi mai pensato». Ma il contagio non dipese soltanto dalle magie della grande distribuzione d'oltreoceano, dei prezzi bassi e della logistica. A rileggersi le sue ripide, sbrigative note su quegli anni ci si sorprende a scoprire l'altro motivo d'un fervore così potente: «Io penso che il secondo fu dato in quegli anni di straordinaria dedizione nei quali si consolidò un grande senso di appartenenza, di colleganza, di autentica amicizia». Vissuta sempre però colla minuzia della Brianza, sbrigativa ma attenta alle piccole cose, quindi compiaciuta di quanto dicevano in quegli anni due vecchietti, clienti di Esselunga: «Veniamo qui in tram dall'altra parte della città settimanalmente, con quanto risparmiamo possiamo andare al cinema una volta la settimana». In quel sorriso di Caprotti del 1957, c'è insomma ben altro che chiacchiere; c'è un'epica dell'impresa che ha cambiato nel meglio e davvero l'Italia. Ed è questo il motivo più serio che dovrebbe far riflettere i lettori, fargli almeno chiedere perché un uomo così s'è risolto a un simile libro di denuncia. Tra l'altro considerato il suo carattere, ne sono certo, egli assai più volentieri avrebbe avuto tutt'altro da fare.

Ma prima di scorrere le statistiche di Esselunga e il resto vale la pena forse di insistere sul suo carattere originale. Da soli i numeri delle più alte vendite per metro quadrato nella grande distribuzione alimentare potrebbero fuorviare il lettore. Le ottimalità di questa impresa non si spiegano solo con indici di produttività astratte, o della standardizzazione. Il genio di Caprotti e del suo management è arte d'attenzione delimitata. Esselunga è quella furia del dettaglio, per la quale si misurano i passi del personale di banco e dei consumatori e di essi si informano gli architetti. Da circa un anno si studia la formula nuova del ragù come nemmeno Fermi per la produzione della bomba atomica. E anche la concentrazione di Esselunga, come vedremo e che spiega questo libro di denuncia, è evoluta a virtù. L'attenzione pignola al dettaglio ha ottimizzato i bilanci; seppur costretti nel territorio. Altri, e gli esempi sono molteplici, nel nostro capitalismo avrebbero peraltro profittato di una cassa così concentrata per allargarsi. La vanità di quasi tutti, banche o imprese, ormai in Italia si poggia su imprese vere quasi nulle, ma gonfiate fino all'inverosimile dalla politica o dalla speculazione. E invece no, una nuova tritatura del ragù vale per Esselunga più di un affare d'Alta Finanza. Abituati come siamo a indici ormai astratti, si rimane così sorpresi delle vecchie e buone maniere di fare.

Ma gioverà a questa prefazione anche qualche contabilità più consueta, come quella che misura la produttività, già menzionata peraltro, della rete di vendita (*tabella A*). Il fatturato complessivo sviluppato, ACV (All Commodity Volumes) nella sigla abbreviata dall'inglese, comprende il largo consumo confezionato, quello non alimentare e i freschissimi. Così questo totale di vendite diviso per le diverse superfici di vendita permette di misurare l'efficienza dei vari gruppi presenti in Italia, e di compararla. Il risultato è che la produttività di Esselunga è stata a fine 2006 più che doppia di quella di multinazionali come Carrefour e Auchan; e superiore di più di tre quarti a quella di Coop Italia. Numeri tanto più notevoli in quanto, cosa rilevante in questo genere di mercati, Esselunga ha una

quota di mercato inferiore agli altri tre gruppi. Al 1°
gennaio 2007, Auchan copre il 9,3% del mercato, Carrefour il 10,1% e Coop Italia il 17,1%, contro l'8,7%
di Esselunga. La quale però si è adattata a sfruttare la
sua quota al massimo, e con migliore efficienza anche
delle multinazionali. Riprova che non ci sono dei
modelli universali che possano esportarsi con inevitabile successo.

Ma neppure nel 1957 agli esordi la Supermarkets Italiani fu affare di mera importazione del modello americano a Milano. Si dovettero plasmare dal niente delle dimensioni organizzative ottimali per quel mercato
locale, costruire, addirittura formare i fornitori di
acquisti ed approvvigionamenti. E l'impresa dovette
essere proseguita con furia del dettaglio e attenzione ai
mercati locali indefessa nei cinque decenni seguenti.
Tant'è che ormai una "multiprovinciale" come Esselunga funziona adesso molto meglio delle multinazionali.

E il successo di quanto di più originale v'è in Esselunga viene dall'evoluzione della rete di vendita. Il peso
sul fatturato dei supermarket era del 58,2% nel 2000,
all'inizio di quest'anno era calato al 33,3%. A sua volta il fatturato dei superstores è cresciuto dal 41,8% del
2000 al 66,7%. Malgrado tutti gli ostacoli della buro-
crazia le superfici di vendita sono cresciute verso 2.500
fin oltre i 4.000 metri. Buona parte dei supermercati
sono stati insomma trasformati, ma con una formula
intermedia, diversa da quella scelta dalla concorrenza.
Gli altri hanno aperto negli ultimi anni ipermercati fino

a 12.000 metri quadri, con assortimento alimentare non molto diverso da quello dei superstores, ma vendendo anche il non alimentare, il tutto inserito in vasti centri commerciali che erano considerati la formula del futuro. E invece non rendono per metro quadro quanto la soluzione più calibrata e calma, nella tradizione, di Esselunga. Il mercato dà ragione infatti alle superfici più vicine alle città e alle direttrici urbane e premia i tempi della spesa. Parcheggi e conta dei passi: ancora la minuzia, l'attenzione al particolare e al locale spiega questo calmo successo. Tra l'altro l'ipermercato vive di una logistica propria come una portaerei deve stoccare i prodotti con costi crescenti. Il superstore invece vive di una logistica sua, ma integrata, che non ha magazzino: e richiede non maggiori superfici ma più ordine, e accuratezza gestionale. Perciò rende meglio degli ipermercati.

Ma se le multinazionali possono semmai biasimarsi per le loro scelte di mercato, altro è il discorso circa le cooperative. Se infatti le quote di mercato dei vari gruppi si disaggregano per provincia, si verifica subito quanto poco il confronto sia soltanto una questione economica (*tabella B*). Le quote di mercato di Coop si concentrano infatti nelle province di Emilia e Romagna e Toscana con proporzioni superiori al 50%. Nelle altre province può anche farsi un confronto cogli altri gruppi, ma in un'area, che si concentra nelle regioni rosse e comprende Perugia e la Liguria, le quote restano incomparabili. Ben oltre quindi un'evoluzione imputabile al mercato, o spiegabile in termini di efficienza delle superfici di vendita. Il 77% della quota di Siena, il 60% di Firenze e il 57% di Modena o Bologna non si spiegano con un'efficienza superiore che non c'è: riguardano la politica. Dove la politica è stata meno permeata dai comunisti, pentiti o meno, queste concentrazioni di quote risultano impensabili. Comunque esse non si verificano con simili livelli in nessuna delle altre province d'Italia.

Chi volesse replicare a questa mia constatazione, ridurla a una malevola insinuazione dovrebbe infatti dimostrarci ch'è solo l'economia ovvero l'efficienza a giustificare la sproporzione. Il che abbiamo visto non è. E nemmeno una spiegazione può trovarsi nei prezzi, ovvero nella maggior convenienza della Coop, in queste peraltro sempre meno beate province d'Italia. Basta analizzare gli indici elaborati da Panel International, una azienda francese del tutto indipendente, che fa rilevamenti sui prezzi (*tabella C*) e comparare i prezzi dei prodotti di Esselunga Milano a via Ripamonti con quelli delle località dove essa non c'è. In altri termini il livello di prezzi di Esselunga Milano, posto uguale a 100, fa da deflatore per i prezzi delle Coop di tutta Italia. Un valore superiore a 100 implica pertanto prezzi superiori delle cooperative, al di sotto inferiori.

Ma non è quest'ultimo il nostro caso. Siamo come si vede, già in Emilia e ancor più in Liguria o in Toscana, a prezzi ben superiori nelle cooperative. Può dedursene che non è il libero mercato la spiegazione di quote così elevate. Il sistema Coop lasciato a se stesso costa al consumatore di più, oltre ad essere meno efficiente. Dove c'è più concorrenza ci sono infatti meno cooperative, e viceversa. Insomma non è il mercato a giustificare la così abnorme concentrazione delle cooperative.

Ma diamoci un'altra riprova: studiamo la situazione dei prezzi in Liguria dove le quote di Coop Italia sono superiori per intenderci a quelle di Reggio Emilia. A Genova siamo a una quota del 48%, al 51% a Savona e addirittura al 53% a La Spezia, a fronte di una quota assente o insignificante di Esselunga (*tabelle D e E*). E verifichiamo quanto costa di più fare la spesa in quattro coop della Liguria, rispetto a una Coop di Sesto Fiorentino o a una Esselunga di Firenze. Siamo a prezzi superiori in media attorno al 15% rispetto alla Coop toscana, e ancora più elevati rispetto alla Esselunga toscana. Lo squilibrio è meno elevato solo per la rilevazione di luglio 2006 della Coop di La Spezia. Ma appunto l'apertura di un supermercato estraneo alle cooperative nel giugno di quell'anno ha costretto a una pesante discesa dei prezzi, che malgrado ciò restano alti. Insomma questo incrocio di dati elaborati da una fonte indipendente ci permette la prova del nove. I prezzi sono più alti là dove la quota di Coop Italia è più elevata e c'è meno concorrenza.

Non credo che nessuno scrittore di manuali di economia di un qualche pregio si lascerebbe sfuggire esempi numerici come quelli indicati. Quale migliore esemplificazione di cosa sia il mercato, e del perché ostacolarlo sia un male anzitutto per i consumatori? Ma viviamo in un'Italia complicata; e dunque l'accademia che occupa sovente di noia le nostre università si guarderebbe bene dal nuocere a chi comanda. Inoltre i tempi si sono pure essi complicati, e ai numeri si rimprovera sempre più spesso la loro aridità. Si ribatte ad essi, invocando appunto la qualità, quel qualcosa ch'è restato però sempre troppo vago da che Aristotele l'inventò. E tuttavia anche di questa qualità potrebbe darsi una misura accurata ed esaustiva. Ma invece di annoiare il lettore cogli indici di qualità più accurati che l'azienda mi ha mostrato, mi limiterei perlomeno a insinuare un dubbio, per quanto ad esempio riguarda i prodotti più politicamente corretti. I prodotti biologici a marchio Esselunga sono 130 contro 75 di Ipercoop, con un peso sui relativi assortimenti dell'1,3% per Esselunga e dello 0,6% per Ipercoop (*tabella F*). Insomma si confermerebbe che il richiamo alla qualità, almeno a quella percepita dai consumatori, è davvero un espediente ambiguo, tentato troppo spesso da chi ne ha meno.

Ed eccoci al punto dolente, non tanto, non solo per Bernardo Caprotti e i lavoratori di Esselunga. Ma per noi tutti. Giacché spero d'aver messo in condizione il lettore con calma di poter capire il perché di una denuncia. E come mai un ottantenne imprenditore si sia deciso a questa denuncia, di cui tra l'altro non ho ancora introdotto tutti i termini. Ma la comparazione di quote e di prezzi, per parti di Italia, fa già capire chi paghi il prezzo del privilegio. Sono quegli italiani presi in giro con una politica di liberalizzazione che riguarda sempre gli affari degli altri e mai quelli propri. Ed infatti per quanto le norme di privilegio delle cooperative siano illiberali e da liberalizzarsi il governo se ne guarda bene. Mentre la più parte dei giornali s'è abituata a guardare, con mal annoiata ipocrisia, dall'altra parte.

In effetti cosa v'è di più sano che la fraternità economica, un sentire assieme epico e attento agli altri, ben oltre il proprio egoismo? E cosa di più ovvio che la Costituzione economica protegga questo movente con una norma che favorisce la cooperazione senza scopo di lucro? Dunque si giustificano sia la deducibilità dell'IRES dalla base imponibile e sia quella degli utili destinati a riserva legale e fondi mutualistici oppure a riserva volontaria. Come ci sta anche la concessione della possibilità del prestito sociale, la raccolta diretta di denaro dai soci consumatori, e a condizioni più vantaggiose rispetto al sistema bancario, anch'essa garantita dal legislatore.

Ma Coop Italia con un fatturato di oltre 12 miliardi di euro rientra ancora negli scopi di mutualismo che giustificano i privilegi fiscali, e non solo, di cui gode? Parrebbe molto dubitabile. Si diventa suoi soci con delle procedure automatiche, non diverse in fondo dalle politiche di fidelizzazione operate dagli altri gruppi. E alla posizione soltanto formale dei soci si accompagna tra l'altro la sostanziale estraneità rispetto alla vita societaria, alla sua amministrazione. Partecipano nella media alle assemblee delle cooperative che operano nella grande distribuzione percentuali di soci inferiori all'1%. Ben poco per corrispondere davvero agli intenti mutualistici pretesi dalla Costituzione e dal legislatore. E lo si è verificato tanto più per quanto riguarda i prezzi, più elevati, e persino i prodotti biologici, minori.

Eppure a parità di utile lordo la tassazione delle cooperative incide per il 17%[1], quella sulle società commerciali per il 43%. E questo dato considera solamente il beneficio fiscale. Non meno rilevante è il privilegio, lo sconto nei finanziamenti: si consideri che sugli interessi del prestito sociale vengono applicate ritenute del 12,5% invece che del 27%. E come si è verificato cogli altri conti fatti prima, non è che poi questo sovrappiù si traduca in risparmi di prezzo per il consumatore. Costituisce piuttosto una rendita, che in parte colma l'inefficienza del sistema delle Coop. E per un'altra parte retribuisce un sistema di potere, nei suoi sempre più rischiosi e complicati affari, come i recenti casi di Consorte e soci cooperatori hanno a tutti dimostrato.

Insomma dire che c'è qualcosa che non torna è a questo punto troppo poco. È far finta di non vedere; andrà forse bene per il propagandista, il politico che per mestiere deve convincere, ovvero fidelizzare, per restare in argomento. Ma tanti fatti messi in fila configurano un sistema di inefficienza, che deve alla politica e non al mercato la sua esistenza. Prezzi più alti; una qua-

[1] Fino al 2001 era addirittura il 10%.

lità maggiore soltanto pretesa; privilegi fiscali e di finanziamento; delle quote di mercato immani e che non si ritrovano per altri gruppi in nessun'altra regione di Italia: sono i fatti gravi che giustificano tutto lo sdegno di Bernardo Caprotti nel suo libro. Una insana concentrazione, che trova pretesto nel mutualismo e ragioni nella politica, sottrae alla competizione buona parte del Paese. Il che è nella grande distribuzione piuttosto paradossale. E non si spiegherebbe che un governo che di continuo parla di liberalizzazione, non badi a eliminare subito questi ostacoli alla concorrenza. Invece si spiega considerando che nel governo è parte importante proprio la parte politica che perpetua il privilegio delle cooperative, ed una strana idea del mutualismo.

Peraltro quello della distribuzione è un mercato, come si dice, di prossimità, nel quale la saturazione sotto il profilo territoriale rende impossibile ad altri operatori competere. Ed ecco perché i vari casi elencati in questo libro, di ostacolo all'apertura di supermercati Esselunga proprio e solo in certe regioni aggraverebbero il quadro. La dovizia di documenti e foto è inquietante. Ma il mio mestiere non è l'avvocato, e tanto meno il fare politica. Quanto posso verificare da economista, usando i numeri, però basta per capire i dirigenti di Esselunga e il loro rammarico. Non è confortante sfogliare i dossier con le autorizzazioni per aprire a loro negate, ed invece concesse a delle cooperative, meno efficienti e più disutili ai consumatori.

Mi sono tenuto in questa prefazione il più possibile ai puri fatti, ed essi nitidamente dimostrano tutte le ragioni di questo libro, che vive, lo si deve ammettere, pure di sdegno. Ma non di pregiudizio. C'è la rabbia dell'onesto, che s'è per una vita applicato al meglio, ha costruito coi fatti l'epica concreta di un bene comune minuto, e tuttavia reso immenso dai consumi cinquantennali di milioni di clienti.

Caprotti denuncia una ingiustizia con la stessa passione, che in una vita di lavoro ha messo in opera nella sua grande distribuzione. E però senza un preconcetto rancore politico; giacché egli proprio non fu fascista. E lo stesso può dirsi della sua famiglia, non soltanto in Italia; anche in Francia, «con mio cugino André assassinato dai fascisti d'Oltralpe il giorno della liberazione di Parigi». Non vi sarebbe stata in lui quindi alcuna preconcetta avversione. Ma a muoverlo alla ribellione pare piuttosto una sua intenzione continua di libertà, divenuta istinto. Si pensi alle pagine di questo libro nelle quali egli descrive la situazione della industria tessile di famiglia sotto il fascismo: «I telai alla Manifattura Caprotti datavano forse di decenni. Le difficoltà erano anche dovute al fatto che durante il fascismo, per rinnovare gli impianti, anche per cambiare una sola macchina, un tornio o un telaio per tessere, occorreva il permesso della Camera dei Fasci e delle Corporazioni». Ci verrebbe quindi da dire Corporazioni nere o rosse cambia poco, egli le avversa con la stessa caparbietà di chi non accetta di fermare se stesso e i suoi, di restare indietro. Insomma questo libro è coerente con la sua vita di imprenditore: corporazioni, veti dei piccoli commercianti, o cooperative emiliane: forme diverse di una Italia ipocrita che si perpetua, e muta soltanto per gli sciocchi.

Nella storia d'Italia o meglio della penisola dai tempi antichi si contano due generi di decadenze economiche. La prima fu quella dell'Impero romano, rovinato da una crisi fiscale; quando le conquiste e le estorsioni delle guerre non bastarono più a nutrire le plebi di nullafacenti di Roma. E a mantenere al contempo le legioni. La seconda decadenza fu quella che rovinò le produzioni anzitutto tessili e divenne palese nel '600 come esito dei veti di stagnanti corporazioni. Esse bloccarono il mutamento, elevarono i salari, aprirono ai panni inglesi il futuro.

Tasse e corporazioni: i due mali ricorrenti che non c'è bisogno di essere storici economici per riconoscere anche in questa Italia. Basta essere uomini liberi per sentire come nel presente riviva troppa di quella ipocrisia che già in passato ha rovinato tutto, e generato umiliazioni, povertà e male morale. Anzitutto quella doppiezza per cui si predicano liberalizzazioni ma appunto riguardano sempre gli altri. Mai che neppure si parli di liberalizzare le mutue e smontare l'INPS, eppure ci sono in Italia 15 milioni di pensionati e solo cinquantamila tassisti. Tanto meno si parla di smontare i privilegi delle cooperative, nella grande distribuzione, di far calare del dieci per cento il costo della spesa di milioni di consumatori, e così liberalizzarli.

Ma ritorniamo alla fisiognomica, al viso nitido nel suo slancio di ordine minuto, del trentaduenne Caprotti. Lo stesso che c'era nel suo viso, poche settimane fa quando lo ho incontrato, posseduto dalla stessa vitalità, che a ben pensarci è un'ansia di libertà. La sua è una fretta di scegliere per dare ordine, forma ad una impresa sentita per gli altri, alla fine credo molto di più di quanto l'invidia degli altri non sia riuscita mai a capire. È interessante a questo riguardo anche la memoria delle rivolte politiche in fabbrica degli anni '70. Quanto egli avversa non sono le parole o gli insulti; ma il disordine, che giunse «a livelli parossistici».

Caprotti pare, ed è davvero con l'anima, dentro ognuno dei suoi supermercati a vegliare perché l'economia più sostanziale, quella della massaia, possa svolgersi nel migliore ordine. E fedele a questo intento capisce tutto. Rivelatore il colloquio di quegli anni con un prefetto, capace di intendere solo l'impresa in quanto patrimonio, stock come fosse terra o cosa con peso e valore fisso, eterno. Costui, visto che «lei i soldi li ha», lo invitava a darli, a cedere ai movimenti più riottosi. Ma questa concessione, consigliata anche per ordine pubblico, resta densa di ignoranza economica. Se non c'era bastante productivity of labour, che senso avevano gli aumenti salariali? E infatti, osserva caustico Caprotti, poche righe dopo, divennero inflazione. Altra lezione da manuale, perfetta di economia, che smitizza tra l'altro quelle lotte.

Nel sacro furore di quei tali che negli anni '70 gli invadono gli uffici, egli riconosce gli stessi modi del fascismo, che non si comportava peggio del facchino che lo insulta, o degli scioperanti che fanno prendere un ictus al povero direttore di Esselunga in Toscana.

Per carità, era inevitabile una qualche redistribuzione del reddito negli anni '60. Ma essa non si svolse con ordine, accompagnandosi alla produttività. Fu invece assecondata dalla peggiore politica, quella stessa che verbosa amministra ancora così male tutto, ma sempre parlando troppo.

E se invece di giudicarli parte del progresso, lodarli, questi anni '70 si considerassero come esemplari di una nazione mai liberata dai moventi della sua decadenza? Ma davvero un'Italia dove i pensionati e gli statali sommati sono 20 milioni e i lavoratori dipendenti del settore privato soltanto 13 milioni può dirsi emanata dal progresso? O non è pure questa proporzione malata una riprova della identica ipocrisia, di quell'istinto a vivere del lavoro altrui, a proteggersi con la politica che ritroviamo nella denuncia di Caprotti? La verità è che sì poi arrivarono la stanchezza degli anni '80 e il crollo a dimostrare la follia dei due decenni trascorsi. Ma gli esiti di quegli anni erano ormai avviati. E un sano equilibrio non venne più ritrovato. Se non a chiacchiere, l'espediente è dire una cosa e fare quella opposta, com'è per le liberalizzazioni.

Altri fatti disdicevoli, non bastassero quelli elencati finora, completano però il quadro. Li annotiamo nel loro succedersi, senza che ci sia molto altro da aggiungere. Romano Prodi in Tv, a *Porta a porta*, il 7 febbraio 2006, tra l'altro non richiesto e con la grazia consueta, disserta sulla grande distribuzione, e spiega: «Sono rimaste le Coop e c'è ancora Esselunga (...) il governo può metterle insieme (...) può fare una politica perché stiano assieme». Senza alcun rispetto per l'età e i meriti di imprenditore di Bernardo Caprotti, viene buttato là insomma il problema della successione, come se Esselunga fosse un pezzo dell'IRI. E non un'azienda con una sua proprietà, dunque nel pieno diritto di essere venduta a discrezione di chi la possiede.

E non bastasse, chi si fa poi subito avanti, in recita perfetta? Ma appunto le cooperative. Il presidente di Legacoop Emilia, Paolo Cattabiani, dichiarerà all'*Unità* il 18 maggio 2006: «Se Esselunga fosse messa in vendita sarebbe un diritto e un dovere per noi acquistarla». Che cosa del resto aveva già dichiarato il ministro delle liberalizzazioni Pierluigi Bersani? All'*Unità* il 9 novembre 2004 circa la vendita di Esselunga pure lui spiegava: «Io credo che il sistema amministativo abbia anche delle leve in mano. Così come il governo (...) di sicuro, nessuno entra in un mercato a dispetto della sua classe dirigente politica, economica». Quale ammissione più sincera?

Siamo un Paese in decadenza, anzi peggio: attraversato da delle correnti di decadenza secolari che però si ammantano ora di progressismo con ipocrisia perita e reiterata. E il problema è che tutti lo sanno, e in privato anzi l'ammettono con dovizia d'esempi. Ma poi appena qualcuno ci si sdegni davvero, e dimostri il come e il perché dell'ingiustizia, eccoli i più a dargli dell'ingenuo. Non c'è ipocrisia, privilegio o doppiezza che non sia data in Italia per scontata come ovvia e inevitabile: contro d'essa ben poco vi sarebbe da fare. Se non mettersi d'accordo, accettare quindi infine la spartizione. C'è insomma da noi una vecchiaia di anime tale che tocca a un imprenditore ottantenne di agire per la libertà, sua e degli altri, in un mercato concreto. Di là di ogni spartizione o accordo come quelli che per certo gli avrebbero semplificato la vita, ma che la libertà non accetta.

Ed eccomi, caro lettore alla fine, che è poi l'inizio di questo libro, ad essermi anch'io infervorato. Ma almeno mi sono e ho spiegato il perché di quell'orgoglio, e del senso del dovere che mi ha contagiato mentre scrivevo del libro di Caprotti. Non è scritto come gli altri, che sparlano di sfide e globalizzazioni, e nella sua costruzione patisce forse palesi ingenuità. Eppure le sue parole sono tutte vere ed oneste, di squillante lealtà, come deve accadere appunto in un libro di denuncia sentito «come un impellente dovere civile». E con consapevolezza totale, «scritto contro il parere dei miei consulenti. So già che mi costerà incomprensioni. Non importa. I consumatori devono sapere che la loro libertà di scelta è in pericolo e che, di questo passo, potrebbe diventare teorica». Mi ha convinto, ha ragione lui.

Tabella A. *Produttività superficie di vendita*

		Quota mercato ACV dicembre 2006 %	Differenza quota mercato dicembre 2006/ dicembre 2005	Indice di produttività ACV Dicembre 2006	Variazioni annuali indice produttività	
					Variazione a dicembre 2005	Variazione a dicembre 2006
1	ESSELUNGA	8,47	0,41	2,51		
2	COOP ITALIA	17,85	-0,07	1,38		
3	FINIPER	4,05	-0,05	1,32		
4	AUCHAN	10,13	-0,13	1,15		
5	CONAD	9,57	0,15	1,14		
6	CARREFOUR	10,32	-0,22	1,13		
7	PAM	3,48	0,10	1,03		
8	BENNET	2,85	0,12	1,00		

Indice di produttività ACV (*) $\dfrac{\text{quota ACV}}{\text{quota Mq}}$

(*) All Commodity Volume: fatturato complessivo sviluppato (LCC + Non Food + Freschissimi)

LEGENDA

■ Aumento > 0,04

▨ Stabile tra -0,04 e + 0,04

▨ Diminuzione <-0,04

Fonte: Elaborazione su dati Top Trade dicembre 2006 (IRI Infoscan)

Tabella B. *Quote di mercato Coop nelle 78 province di presenza*
(quota a valore nel canale Iper + Super)

Superiore al 40%		Tra 20% e 40%		Inferiore al 20%	
Provincia	Quota	Provincia	Quota	Provincia	Quota
SI	77,97%	PN	39,81%	LT	18,78%
LI	63,09%	VB	36,91%	FG	18,51%
AR	61,98%	TN	34,92%	BA	18,26%
FI	59,97%	PG	33,63%	AQ	17,83%
GR	58,63%	CR	33,04%	AV	17,74%
MO	57,13%	GO	32,37%	AN	17,36%
BO	57,07%	VT	31,93%	TO	16,24%
SP	52,89%	PO	31,89%	RO	16,01%
PT	52,08%	MN	30,66%	CH	15,25%
PI	51,71%	VC	29,51%	TA	14,84%
FE	51,45%	NO	28,67%	RI	14,63%
SV	51,35%	RN	27,15%	PC	14,62%
RA	51,13%	PR	26,84%	VE	14,46%
GE	48,10%	PU	24,02%	LU	14,08%
RE	42,68%	TS	23,45%	LE	11,99%
		TR	23,03%	AL	11,28%
Totale	15	AP	22,56%	MI	10,89%
		BI	20,71%	UD	10,38%
		FC	20,70%	IM	10,04%
				CN	9,80%
		Totale	19	CO	9,59%
				PV	8,15%
				TV	7,74%
				MS	6,91%
				BL	6,82%
				BS	6,52%
				LC	6,38%
				CE	6,28%
				AT	6,23%
				MC	6,13%
				NA	5,74%
				VI	5,57%
				RM	4,81%
				RG	4,51%
				LO	4,50%
				VA	4,16%
				TP	3,95%
				PA	3,60%
				BG	2,82%
				FR	2,49%
				PD	1,47%
				BZ	0,92%
				SR	0,82%
				SA	0,52%
				Totale	44

Fonte: Elaborazione su dati Top Trade giugno 2006 (IRI Infoscan)

Tabella C. *Confronto Esselunga (MI) su 40 punti di vendita Coop rilevati in 8 regioni*

Regione	Provincia	Punto di vendita	Referenze rilevate	Referenze comuni (non in promozione)	Indice
Lombardia	MI	ESSELUNGA MILANO RIPAMONTI	11.191	3.501	100,0
Abruzzo	CH	IPERCOOP SAMBUCETO	12.896	3.235	106,8
Abruzzo	AP	IPERCOOP SAN BENEDETTO DEL TRONTO	10.633	2.046	106,8
Abruzzo	AQ	COOP L'AQUILA C.C. AMITERNUM	6.120	3.685	108,8
Emilia	BO	IPERCOOP IMOLA	12.279	3.602	108,2
Emilia	RA	IPERCOOP RAVENNA	11.098	3.525	106,6
Emilia	RN	IPERCOOP RIMINI	11.620	2.833	106,1
Emilia	PR	COOP FIDENZA	8.160	2.712	107,4
Emilia	RE	COOP CAVRIAGO	8.016	2.405	107,9
Emilia	RA	COOP RAVENNA FAENTINA	7.506	2.122	111,0
Emilia	FC	COOP CESENA CERNESE	6.003	1.599	109,9
Emilia	RE	COOP MONTECCHIO	4.734	3.393	111,6
Friuli	PN	IPERCOOP PORDENONE	10.044	3.283	105,9
Friuli	GO	IPERCOOP GRADISCA D'ISONZO	10.645	2.688	106,8
Friuli	TS	COOP TRIESTE TORRI D'EUROPA	9.855	2.334	112,7
Friuli	UD	COOP LATISANA	6.618	984	109,3
Friuli	TS	COOP TRIESTE ALPI GIULIE	4.246	3.074	115,7
Lazio	LT	IPERCOOP APRILIA	11.319		110,5

Lazio	RM	IPERCOOP ROMA CASILINA	10.224	3.015	107,9
Lazio	VT	IPERCOOP VITERBO	8.671	2.618	112,0
Lazio	RM	COOP LAURENTINA	7.259	2.352	113,4
Lazio	RM	COOP CIVITAVECCHIA	7.083	2.243	111,4
Lazio	FR	COOP FROSINONE	5.989	2.049	112,6
Liguria	GE	IPERCOOP GENOVA	12.285	3.523	109,9
Liguria	GE	COOP GENOVA TRAGHETTO	7.942	2.578	113,6
Liguria	GE	COOP CHIAVARI	6.356	2.073	113,9
Lombardia	LO	COOP LODI	6.729	2.481	106,9
Piemonte	TO	IPERCOOP BEINASCO	10.910	3.157	111,3
Piemonte	TO	IPERCOOP TORINO DORA	11.149	3.075	111,5
Piemonte	TO	IPERCOOP CUORGNÈ	9.311	2.714	110,3
Piemonte	CN	COOP SAVIGLIANO	7.231	2.499	108,4
Piemonte	TO	COOP PIOSSASCO	6.611	2.330	110,6
Piemonte	AL	COOP CASALE MONFERRATO	6.445	2.322	107,9
Piemonte	TO	COOP RIVOLI	6.718	2.317	108,0
Piemonte	TO	COOP CHIERI	6.375	2.316	110,6
Piemonte	VC	COOP VERCELLI	6.051	2.240	112,9
Piemonte	NO	COOP NOVARA FARA	6.291	2.176	110,0
Toscana	LI	IPERCOOP LIVORNO	10.267	2.939	107,2
Toscana	LI	COOP LIVORNO SETTEMBRINI	5.804	1.909	110,4
Toscana	SI	COOP CHIUSI	5.305	1.793	106,5
Toscana	GR	COOP GROSSETO INGHILTERRA	5.309	1.714	111,1

Fonte: Panel International settembre 2006

Tabella D. *Confronto prezzi articoli in comune tra Ipercoop Sesto Fiorentino e Coop Liguria*

	Coop Genova Rivarolo	Ipercoop Genova Aquilone	Coop Sanremo	Coop La Spezia	
Differenziale prezzi tra Ipercoop Sesto Fiorentino e Coop Liguria	+17,6%	+11,3%	+17,8%	+15,9%	Prezzi rilevati nella 2ª settimana febbraio 2006
	+17,9%	+11,5%	+18,3%	+15,6%	Prezzi rilevati nella 2ª settimana aprile 2006
	+18,8%	+14,4%	+19,0%	+10,6%	Prezzi rilevati nella 3ª settimana luglio 2006

Tabella E. *Confronto prezzi articoli in comune tra Esselunga Firenze e Coop Liguria*

	Coop Genova Rivarolo	Ipercoop Genova Aquilone	Coop Sanremo	Coop La Spezia	
Differenziale prezzi tra Esselunga Firenze e Coop Liguria	+18,8%	+12,6%	+19,0%	+15,8%	Prezzi rilevati nella 2ª settimana febbraio 2006
	+20,2%	+13,1%	+20,1%	+16,2%	Prezzi rilevati nella 2ª settimana aprile 2006
	+20,6%	+15,2%	+20,8%	+8,8%	Prezzi rilevati nella 3ª settimana luglio 2006

(% calcolate acquistando un pezzo per articolo di tutti i prodotti in comune rilevati attraverso il codice a barre)
Fonte: Panel International

Tabella F. *Analisi presenza prodotti biologici*

	Numero articoli	% su assortimento **LCC**
Esselunga **BIO**	130	1,3
Ipercoop **BIO**	75	0,6

Fonte: Panel International ottobre 2006 (*media calcolata su un campione di 20 punti vendita di ciascuna insegna*)

*Dedico questa mia non piccola fatica
ai molti giovani di Esselunga che
lavorano con tanto impegno,
con passione ed onestà.
E che crescono i loro figli
nella speranza di un'Italia migliore.
Più libera e moderna.
Più sorridente e più pulita.*

Con un grande abbraccio.

Bernardo Caprotti

LE MIE RAGIONI

Nell'autunno del 2006, dopo due anni di attacchi da parte di Coop all'Esselunga ed alla mia persona, dei quali sul finire del testo daremo notizia, io, anzi noi, decidiamo di fare chiarezza, a mezzo stampa, dicendo le nostre ragioni.

Nossignori: come definisce Giuliano Poletti, presidente di Legacoop – che vedremo fotografato al Quirinale col presidente della Repubblica, Giorgio Napolitano – il nostro chiarimento? «Un attacco (sic!, *ndr*) ingiustificato, che non può restare senza risposta».

E Aldo Soldi, presidente dell'ANCC, Associazione Nazionale Cooperative di Consumatori: «La reazione di Esselunga è stata eccessiva», è una «levata di scudi, per di più con toni arroganti e polemici...».

E allora, nella mia lettera del 1° dicembre 2006 a Soldi, ho scritto: «La verità è che due anni di indecente gazzarra da Lei montata – a fini che a me son ben chiari – sulla nostra azienda e sul suo buon nome, hanno messo in allarme ministri, professori, presidenti... ed anche Vecchioni (Federico Vecchioni, presidente nazionale di Confagricoltura, *ndr*). E noi abbiamo dovuto rispondere. La vostra capacità di mentire e di ribaltare la realtà è illimitata. A me spiace, mi spiace veramente che Lei mi costringa a fare qualcosa che non avrei mai immaginato. Rivelerò a molti ingenui, a tante persone in buona fede, chi veramente siete. Lei, Soldi, mi ci avrà costretto».

Questa è la ragione del mio scritto, questa è stata la mia promessa.

PERMETTE? MI PRESENTO

Mi chiamo Bernardo Caprotti, sono nato a Milano nell'ottobre 1925. Mi sono sempre sentito figlio e cittadino della Brianza, di quel particolare territorio che sta fra Monza ed il lago di Como nel quale i miei vecchi per lunghi anni hanno tessuto e filato *cottoni*: così, nella corrispondenza di oltre 150 anni fa, loro chiamavano il cotone, giacché con l'industrializzazione l'inglese *cotton* venne a sostituire l'italiano bambagia, parola oggi incredibilmente dimenticata[2], usata già nel *Milione* di Marco Polo, anno 1298. Là, con alterne fortune, stringendo i denti nei periodi di magra, quando come ultime risorse rimanevano gli affitti delle terre e l'allevamento del baco da seta, ha operato per sei generazioni la mia famiglia.

Mio padre, Giuseppe, era un "ragazzo del '99", apparteneva cioè a quella classe che, dopo Caporetto, fu mandata in guerra a 17 anni per rimpolpare le armate del re. Era stato educato "in tedesco". Aveva cominciato a 10 anni come allievo dell'ancor oggi notissimo

---

[2] Un tempo si diceva di certuni: «Nato nella bambagia». Forse oggi nascono nel cotone idrofilo, e si spiega così perché non ci son più signori.

41

Rosenberg Institut di San Gallo in Svizzera, dove trascorse quattro anni. Sua nonna era tedesca e l'influenza tedesca e francese erano allora prevalenti in Italia. L'Inghilterra era tanto lontana.

Da mio padre e da mia nonna Bettina ho imparato il culto della libertà, dell'indipendenza e la passione per le *visual arts*, architettura, pittura, grafica, e... l'ossobuco fatto con un'ombra di acciuga. Mia madre, francese, e mia nonna, alsaziana, mi trasmisero l'inclinazione per la musica e per Molière, l'avversione per *les Boches* (così venivano chiamati i tedeschi fin dai tempi di Luigi XIV) ed il culto dei soufflé. Se l'Esselunga è quello che è, forse lo si deve anche a questo.

Da mio padre appresi i fondamentali valori borghesi, la centralità e la continuità dell'impresa, la frugalità, il rispetto della parola data. Ed anche la passione per la caccia e l'amore per i cani. Ad Albiate, nella nostra tanto amata proprietà in Brianza, arrivavamo ad averne anche dieci contemporaneamente. Era un antifascista vorrei dire accanito; alla vigilia della guerra era rimasto quasi solo: lui, l'amico Nanni Falck delle omonime acciaierie ed i Tanzi, agenti di cambio che erano nostri vicini di casa ad Albiate. Bisogna dire la verità: tutta la borghesia era fascista, potrei fare la lista dei nomi. Riaffiorano le interminabili discussioni che mio padre intavolava. E ricordo la sua disperazione ai tempi della guerra d'Abissinia – ero un ragazzino di 11 anni – perché andavamo contro un membro della Società delle Nazioni per conquistare una sassaia. Invece di modernizzare le Calabrie, andavamo a spendere cifre pazzesche per colonizzare un Paese di pietre.

Poi furono promulgate le leggi razziali. La grandissima parte degli agenti della Caprotti – ed anche molti clienti – erano ebrei. Alcuni erano anche amici che venivano spesso per casa e mi avevano tenuto, ragazzino, sulle loro ginocchia. Così vivemmo proprio da vicino quella spaventosa, dissennata tragedia.

Ho vivido il ricordo della dichiarazione di guerra del giugno 1940. Ero al Tennis Club Milano di via Generale Arimondi e stavo prendendo lezione dal grande Del Bello. A metà pomeriggio, sui campi il giuoco si fermò. Si fece improvvisamente silenzio perché stava per parlare il Duce, e quando il Duce parlava l'Italia si fermava. Tutti gli altoparlanti, anche al Tennis Club, dovevano trasmettere il suo verbo. Sentii lì, sul campo da tennis, la dichiarazione di guerra alle «democrazie plutocratiche e reazionarie dell'Occidente», alla Francia ed all'Inghilterra, pronunciata da questo maestro di scuola di provincia che non sapeva quello che faceva, che sarebbe morto senza aver mai visto niente, neppure Londra o Parigi.

Tornai a casa piangendo. Sul tram regnava un silenzio assoluto. Milano era attonita: di colpo gli italiani si rendevano conto della catastrofe annunciata, dopo l'ubriacatura delle adunate e delle acclamazioni, dopo dieci anni di pazzia. Mia nonna Fernande era venuta dalla Francia in visita a sua figlia, mia mamma, com'era solita fare ogni anno in tarda primavera. L'accompagnammo al treno nelle poche ore di moratoria successive al proclama. Partì precipitosamente. Nessuno di noi immaginava che per sei anni non l'avremmo più rivista. Né potevamo immaginare che, il giorno in cui l'avremmo rivista, poco o nulla sarebbe rimasto di quella che era stata la nostra famiglia di Francia, con mio cugino André assassinato dai fascisti d'Oltralpe il giorno della liberazione di Parigi. C'è un sepolcro abbandonato lassù, nei Vosgi, in quel cimitero in cima alla collina...

Mio padre già da tre o quattr'anni mi aveva indirizzato allo studio dell'inglese. «La Germania farà la guerra e la perderà; vincerà l'Inghilterra e l'inglese sarà la lingua di domani», diceva, lui che era stato educato "in tedesco" e non era mai stato in America! All'America non pensava neppure. Il francese e l'inglese sono stati la mia grande ricchezza, l'accesso alle letture, all'informazione, al teatro.

Trascorsi il primo periodo della mia vita in varie scuole e finii, nei primi anni di guerra, tra il Parini ed il Berchet, due prestigiosi licei pubblici, il secondo dei quali sfollato a Carate Brianza dopo i primi bombardamenti su Milano dell'ottobre 1942. In Brianza, nella nostra casa di Albiate, passammo gli ultimi due anni di guerra ed ogni sera ascoltavamo religiosamente Radio Londra, dalla quale apprendevamo le proibitissime notizie dai fronti.

Con l'orecchio incollato a Radio Londra, nacque la mia prima avversione verso i comunisti: lì drammaticamente seguimmo la tragedia della rivolta di Varsavia. Nell'estate del '44, quando le armate dei marescialli Rokossovskij e Zhukov furono ad una manciata di chilometri dalla capitale polacca, venne dato il segnale della rivolta. Ad un tiro da Varsavia, le truppe sovietiche si fermarono per oltre due mesi, col pretesto che erano stanche per l'avanzata. I tedeschi trucidarono duecentomila polacchi, Hitler mise Varsavia a ferro e fuoco e quando tutto fu finito, in ottobre, Stalin diede l'ordine di riprendere la marcia. E l'Armata Rossa prese solo delle rovine. Per poi insediarvi un governo fantoccio[3].

---

[3] A questa nefandezza, seguiranno gli eccidi del '45, le foibe, Togliatti

A Radio Londra ascoltavamo la disperazione degli inglesi, che con i loro aerei mandavano aiuti, medicinali, armi e viveri, agli insorti. Noi eravamo antifascisti, ma lì mi si insinuò il primo dubbio. Che poi trovò una larga, larghissima affermazione negli anni del dopoguerra, quando andavamo in piazza del Duomo o in piazza Cavour, a Milano, a discutere ed a prenderci a calci con i comunisti. Perché noi eravamo prima di tutto uomini liberi, e poi filoamericani, veri paladini della libertà.

Il periodo del dopoguerra fu fulgido e ricco di speranze di un'autentica convivenza democratica. Uomini liberi, come Alcide De Gasperi, Carlo Sforza, Giuseppe Saragat, Luigi Einaudi, dominavano la scena e facevano da baluardo ad un altro, spaventoso totalitarismo.

Furono anche gli anni del boom economico. Nuove tecnologie, nuovi prodotti, nuove aziende. Gli anni del fascismo erano stati gli anni dell'autarchia ed il Paese, chiuso in se stesso, aveva saltato tutta un'era di progresso tecnologico.

---

favorevole a una Trieste jugoslava. A Praga, il ministro degli Esteri, Jan Masarik – figlio del presidente Masarik ed unico membro, non comunista, del governo – "cade" dalla finestra del suo ufficio e muore; il seguito è noto. I nostri prigionieri di guerra in Russia sono ostacolati nel loro ritorno, addirittura querelati dal comunista Edoardo D'Onofrio che, dopo aver perso nelle aule di giustizia, fu nominato vicepresidente della Camera. E fra tanti altri episodi, quello vigliacchissimo delle fosse di Katyn: 25.000 ufficiali dell'esercito polacco prigionieri di guerra trucidati con un colpo alla nuca nella foresta di Katyn: e l'intera classe dirigente di una nazione viene eliminata. Facendo credere per anni che anche stavolta gli assassini erano stati i tedeschi. Il tutto censurato fino a oggi da una "informazione" e da una scuola quantomeno conniventi. La mia curiosità, il mio bisogno di capire, mi spinsero più volte allora, oltre quarant'anni fa, a Berlino e a Mosca. E mi bastò. Né mi ci vollero cinquant'anni per accorgermi che a Budapest, nel '56, i russi avevano commesso una violenza costata altre 25.000 eroiche vittime. Violenza giustificata e condivisa dai "compagni" nostrani.

I telai alla Manifattura Caprotti datavano forse di decenni. Le difficoltà erano tra l'altro dovute al fatto che durante il fascismo, per rinnovare gli impianti, anche per cambiare una sola macchina, un tornio o un telaio per tessere, occorreva il permesso della Camera dei Fasci e delle Corporazioni. Cosa non facile da ottenere per un uomo, Giuseppe Caprotti, che non portava all'occhiello la cimice, cioè il distintivo fascista, né tanto meno la camicia nera. Per gli industriali che vestivano l'orbace, tutto era più facile.

Così mio padre nel primo dopoguerra si diede un gran daffare per rinnovare gli impianti. Dai due telai non automatici per tessitrice si poteva passare ad un'assegnazione di 16 telai automatici, e questo non certo aumentando il carico di lavoro, ma con un incremento esponenziale della produttività. Ecco ciò che ha fatto le fortune dei Paesi e delle imprese che ci si sono messi. Purtroppo, la documentazione è andata perduta con la fine della Manifattura Caprotti, ma dovetti assistere allora ad una battaglia coi sindacati, e segnatamente con la CGIL che, tipicamente ancorata ad un progressismo ottocentesco, in realtà al progresso si opponeva.

In ogni caso, dopo un anno di scioperi, "agitazioni", picchetti e bandiere rosse, mio padre la spuntò e la Caprotti divenne, tra la fine degli anni '40 e gli anni '50, una delle aziende più moderne del Paese.

Il successo si riassumeva allora come oggi in un solo concetto: produttività; parola peraltro misteriosa che molti, anche fra gli addetti ai lavori, confondono con la produzione o con la capacità produttiva. Produttività è anch'essa una facile parola americana che esprime un rapporto: *output per man-hour*. E le nostre tessitrici passarono dagli zoccoli ai "calzett de seda".

Coi sindacati fu allora una lotta durissima, ma per me una prima utile esperienza per quello che si sarebbe ripetuto 20-30 anni dopo.

Conseguita la laurea, mio padre decise che sarei andato in America, dove trascorsi l'intero 1951. Già ero stato in fabbrica e per due anni, durante gli studi all'Università Statale, avevo frequentato i corsi serali di meccanotessile al Politecnico di Milano: sapevo bene che cos'era un "raso da quattro" e come sia impossibile "ordire una trama"[4]. Allora il marketing non esisteva. L'importante nell'industria era la fabbrica. È così che mio papà mi mandò negli Stati Uniti presso alcuni produttori di macchinari tessili.

Iniziai però dalla materia prima, dal cotone, a Houston Texas, e più precisamente nella *Classing Room* di Anderson Clayton – *marketer* di cotoni – al porto di Galveston, sul Golfo del Messico, donde venivano spediti i cotoni americani. Feci poi il montatore meccanico di macchine per la filatura del cotone e di telai per tessere, nel Maine e nel Massachusetts. Fare il meccanico mi piaceva moltissimo. Già da ragazzo mi divertivo con gli chauffeur di mio padre a montare i motori delle sue Lancia, erano più le ore che passavo in garage di quelle spese sui libri di scuola.

L'America per me è stata fondamentale. Era un altro mondo ed era, il Texas in particolare, terribilmente lontano.

La partenza per l'America costituì prima di tutto un doloroso distacco dalla mia vita di Milano. Col vagone letto andai a Parigi dove feci due giorni di decompres-

---

[4] In sintesi, la tessitura si fa inserendo la trama nell'ordito, cioè tramando un ordito, non ordendo una trama.

sione con la mia nonna di Francia. Poi presi il *boat train* alla Gare du Nord; erano treni dedicati ad ogni singola nave ed andavano a finire sulla banchina del porto di Le Havre, proprio lungo la fiancata del transatlantico pronto per la traversata. Non c'erano problemi di sicurezza, allora, e gli accompagnatori salivano tranquillamente a bordo. Poi, forse un'ora prima che i rimorchiatori iniziassero a condurre la nave fuori dal porto, gli accompagnatori venivano invitati a scendere e stavano sulla banchina a sventolare il fazzoletto. Ricordo la mia nonna, piccolissima, laggiù...

Si piangeva, perché allora partire voleva davvero dire *mourir un peu*.

L'arrivo a New York – in quell'occasione di primo mattino, nello scintillio dei grattacieli e con tutte le navi presenti in porto che suonavano le loro sirene per salutare il transatlantico che arrivava – era un'emozione grandissima.

Due giorni a New York per un'ulteriore decompressione coi cugini americani di mia madre, e poi via. Due giorni e due notti di treno. Da New York a Houston Texas, via Kansas City.

Quell'anno trascorso negli Stati Uniti mi insegnò a lavorare. Forse incline al pragmatismo per natura, certamente pragmatico lo sono divenuto. Io, e noi in Esselunga, siamo eminentemente pragmatici. Vogliamo vedere, toccare le cose, prima di prendere qualsiasi decisione. Prima di adottare nuove strategie, nuovi strumenti, proviamo e riproviamo. Sembra un modo di lavorare faticoso, in realtà rende tutto più semplice e, a mio modo di vedere, evita molti errori.

In America, la prima esperienza, che si rivelerà poi molto importante, fu la scoperta del supermercato. La

Anderson Clayton, dopo due notti di albergo, mi sistemò in una tipica casa americana alla periferia di Houston con un danese e due svedesi, anch'essi in America per "imparare i cotoni". Subito, la prima sera, mi portarono a vedere questo negozio, nuovo anche per loro, poiché in tutta Europa non esisteva ancora nulla del genere, ed anche per l'America era una novità: il supermarket.

Solo sei anni dopo avrei avuto l'opportunità di partecipare alla fondazione della Supermarkets Italiani Spa, sapendo di che cosa si trattava.

Tornai in Europa col Queen Elizabeth, il più grande transatlantico di allora, 83.000 tonnellate, ed arrivai in una Parigi nera – André Malraux, ministro della Cultura, inizierà a lavarla solo dieci anni dopo – e buia. Dopo lo scintillio dell'America, mi si strinse il cuore. Il taxi era una vecchia Citroën *traction avant* disegnata da André Citroën all'inizio degli anni '30. Non ci stavano neppure le valigie.

Dopo il Natale ad Albiate ed il Capodanno a Cortina, il 2 gennaio 1952, alle 7 del mattino, feci il mio ingresso nell'azienda di famiglia, più precisamente nella tessitura di Macherio ed iniziai la mia vita di lavoro. Lì, proprio lì, Esselunga ha appena aperto uno stupendo superstore, opera dell'amico Gigi Caccia Dominioni.

Sei mesi più tardi, con l'improvvisa e tragica perdita di mio padre, dovetti, pur nell'immenso dolore, affrontare il primo ostacolo della vita. A 26 anni mi trovavo alla testa di un'azienda in piena evoluzione. Ma superati i primi due anni di affanni e di grandi timori, raccoglievo, ed era un gran privilegio, il successo di mio papà alla guida della vecchia, rinomata ditta, ormai divenuta modernissima. I timori cessarono, rimasero gli affanni.

Così passai quegli anni nel tessile. Dal 1952 al 1965. Poi le circostanze della vita mi portarono lontano dal mio mondo d'origine e da tutto ciò per cui avevo avuto una preparazione specifica.

Benché già allora il lavoro e l'impresa avessero in me una posizione centrale, conducevo una vita normale: di amici, di weekend al Forte, a Parigi, l'inverno lo sci a Zermatt o a Davos. A Milano qualche prima alla Scala, qualche cocktail e molto "Piccolo Bar", insomma una vita normale.

Solo più tardi il mio ritmo cambiò. E se devo ringraziare Dio dall'avermi distolto dal cotone, posso anche asserire che quel successo che oggi, ormai, mi si attribuisce è frutto di un impegno totalizzante che ha comportato se non dei sacrifici – i sacrifici sono ben altra cosa – certamente molte rinunce. Il primo addio fu allo sci, mi piaceva tanto... Ma il lavoro del sabato me lo rese impossibile per troppi anni, fino ad una rassegnata definitiva rinuncia. E così via via mi negai forse troppi interessi, con eccessivo sacrificio anche dei miei familiari.

Pur abitando a 200 metri dalla Scala e disponendo da sempre di un palco in "Turno A e prime", dal quale, nel maggio del '46, avevo assistito coi miei genitori al concerto di Toscanini per la riapertura del teatro, non ci misi più piede. Quante volte mia madre mi diceva: «Vieni, domani c'è la Callas». Mai sentita né vista la Callas dal vivo. La musica comporta una partecipazione ed un apporto personale: non si può ascoltare la musica nel vuoto della stanchezza.

Nel 1957 si presentò un'opportunità che, qualche

anno dopo, avrebbe cambiato la mia vita. Il merito fu di Marco Brunelli, scaltro uomo d'affari, poi mio avversario. Mio fratello Guido e Brunelli, a Saint Moritz per il weekend, avevano sentito casualmente, nei saloni dell'hotel Palace, i due fratelli Brustio (entrambi al top della Rinascente, Micio Borletti essendone presidente) discutere del fatto che certi americani avevano loro proposto di entrare in società con Nelson Rockefeller per aprire dei supermercati in Italia. Naturalmente, loro – erano la Rinascente! – volevano avere la maggioranza. Essendo gente di provincia, non sapevano che mister Rockefeller era un nipote di quel signore che aveva, si può dire, inventato il petrolio, il fondatore della Standard Oil, la Esso[5]. Per chi fosse stato in America ed avesse visto anche solo il Rockefeller Center, poteva far sorridere il pensiero di volersi associare a quel signore pretendendo la maggioranza.

Ci sostituimmo alla Rinascente accettando d'essere minoranza. Brunelli mise assieme i Caprotti, industriali tessili della Brianza (ero l'unico che parlava l'inglese, ma più di questa gran qualità non avevo) col 18%, i Crespi, proprietari del *Corriere della Sera*, col 16%, se stesso col 10%; inoltre la principessa Laetitia Boncompagni Pecci Blunt, cara amica di Nelson Rockefeller, e l'amministratore dei Crespi, Franco Bertolini, con partecipazioni minori.

***

[5] Il nonno, John D. Rockefeller, era stato uno dei grandi *tycoons*, cioè uno di quegli imprenditori che, tra fine '800 e inizi '900, rifondarono il capitalismo americano: Ford l'automobile, Carnegie l'acciaio, Morgan la finanza, Vanderbilt le ferrovie. Erano quelli anche gli anni nei quali l'America, soprattutto Chicago, inventava l'architettura moderna. Otis progettava l'ascensore, Singer la macchina da cucire e Thomas Edison illuminava il mondo. Edison e Ford erano grandi amici.

Rockefeller deteneva il 51%, la nostra compagine il restante 49. Brunelli era presidente, io vice, mentre era americano il management. Da loro, in Consiglio d'amministrazione, imparai che cos'è la democrazia. Ci riunivamo forse due volte al mese e non c'era decisione che la maggioranza prendesse senza convocare e consultare la minoranza. Noi fummo coinvolti dagli americani in ogni scelta, anche la meno importante.

La Supermarkets Italiani Spa fu fondata il 13 aprile 1957 ed il primo negozio, sotto l'insegna Supermarket, fu aperto nel novembre di quello stesso anno a Milano, in viale Regina Giovanna.

Il punto di vendita era pronto dall'estate, ma gli americani non si decidevano ad aprirlo. Noi insistevamo con Richard Boogaart, amministratore delegato e vero motore dell'impresa. «*Why don't you open it?*», gli chiedevamo, perché non lo aprite? Perché non era pronta la *warehouse*, il centro di distribuzione, rispondeva.

Era un negozietto di 500 metri quadrati di vendita, gli articoli erano forse duemila, una cosa minuscola; ma senza il centro di distribuzione non si poteva operare. Lì c'era in nuce tutto il modello di business come noi lo intendiamo.

Ci vollero quattro anni per aprire cinque o sei supermarket a Milano; e nel febbraio del 1961 il primo a Firenze.

Nel 1960 si scatenò una serie di offerte per comprare il 51% dei Rockefeller. Anche Brunelli, che nel frattempo, pur essendo socio e presidente della Supermarkets Italiani, aveva fondato La Romana Supermarket – ora GS – fece un'offerta agli americani. Già infastidito com'ero per La Romana, questo atto mi disturbò proprio moltissimo. Rilanciammo con una controfferta ultimativa: cinque milioni di dollari per una piantina, un seme, un niente. E comprammo la loro quota per questa somma tremenda. Un affarone per gli americani, che però avevano raggiunto anche un altro degli intenti di Nelson Rockefeller, il repubblicano liberal: quello di diffondere il germe della modernizzazione in un Paese in via di sviluppo. La sua società, quotata allo Stock Exchange di New York, si chiamava IBEC, International Basic Economy Corporation: compagnia per l'economia di base.

La trattativa per l'acquisto del 51% iniziò nel luglio del '60 per chiudersi nel febbraio del '61, all'UBS, l'Union des Banques Suisses, di Ginevra e poi davanti al console italiano Alessandro Pietromarchi. Era una cosa ufficiale. A Ginevra stavano i legali di Rockefeller e là erano depositati i titoli azionari oggetto della transazione.

Andai a Ginevra in treno e nel portafoglio avevo un assegno di 4 milioni di dollari tratto sulla Banca del Gottardo, l'istituto svizzero del Banco Ambrosiano. Lo avevo ricevuto dalle mani di Roberto Calvi, all'epoca segretario di Carlo Canesi, presidente dell'Ambrosiano. Banca fantastica a quei tempi, la vera banca di famiglia, poi trascinata in un disastro.

La compravendita con gli americani aveva comportato un contratto di management della durata di cinque anni con il pagamento dilazionato dell'ultimo milione e con *royalties* sugli utili, a carico della Supermarkets ed a favore di IBEC. Questo assicurava ai venditori che noi non avremmo fatto fare una brutta figura a Rockefeller, allora governatore dello Stato di New York – poi vicepresidente degli Stati Uniti – ed a noi la conduzione dell'azienda, almeno per un primo periodo.

Le cose girarono diversamente. A tre mesi dalla conclusione del contratto, nella primavera del 1961, Richard Boogaart, come già detto motore di tutta l'iniziativa, fu richiamato in patria per essere spedito in Argentina. Lo sostituirono con una pallida figura che condusse l'azienda nel niente. Gli utili e le conseguenti *royalties* venivano gonfiati. Nessun piano di sviluppo venne più messo in cantiere ed io iniziai a reclamare con IBEC.

Così, nel 1963, in un'estenuante trattativa condotta a Ginevra, imparai il verbo *disassociate*. Ci lasciammo, ma la pallida figura ed altri funzionari italiani rimasero: non c'era altro management. Finché nel luglio del '65, messo in guardia dal dottor Franco Villa, direttore amministrativo ed amabile consigliere per tanti anni, circa lo stato di abbandono in cui si trovava l'azienda, non fui costretto ad assumere la carica di amministratore delegato. Di distribuzione sapevo poco o nulla, ma consideravo il mio impegno personale una soluzione provvisoria.

Ero lontano dall'immaginare che nel giro di uno o due anni sarei stato colpito dal bacillo del *retail*. Una sera, pranzando con mia madre, ricordo che le dissi – emozionato – che non sarei mai più tornato ad Albiate alla Manifattura. Il nuovo business era molto più dinamico, molto più coinvolgente, assai più del tessile, e ben più di quanto non avessi mai pensato.

Quella seconda metà degli anni '60, i primi della mia guida, si svolsero nel trantran quotidiano di un'azienda molto piccola. Ogni mattino ci incontravamo tutti alle 7 in un negozio diverso per poi separarci: chi andava per negozi, chi in ufficio, chi nei cantieri. Il pomeriggio lo trascorrevo prevalentemente nei negozi o andando in giro a cercare ubicazioni per nuove aperture.

Se gli americani avevano dato la prima piega, stabilendo quei pochi ma inviolabili princìpii sui quali si fonda ancor oggi la nostra affermazione, io penso che la seconda fu data da quegli anni di straordinaria dedizione, nei quali si consolidò un grande senso di appartenenza, di colleganza, di autentica amicizia.

Se però noi avevamo acquistato il 51% della IBEC e la partecipazione minoritaria di Laetitia Boncompagni, Brunelli aveva comprato il resto, raccogliendo così oltre il 29% del capitale sociale. Non mancarono i contrasti e bello sarebbe raccontare come si svolse e si spense l'assistenza del nostro legale, il preclaro Adolfo Tino; o l'exploit del giovane Guido Rossi, per breve tempo consigliere di amministrazione della Supermarkets Italiani per conto di Brunelli. Ma questa sarebbe un'altra storia, una storia che ci porterebbe a La Centrale Finanziaria Generale, a Michele Sindona, al grande Carlo Bombieri, amministratore delegato della Banca Commerciale Italiana e ultimo banchiere, al mitico Charles Fitzmorris[6], ai Sainsbury, la cui frequentazione

[6] Solo per chi volesse meglio capire gli accadimenti del 1989-1990 e delle forze che ci eravamo costituiti quasi inconsapevolmente in quei due decenni, mi dilungo in questa nota.

Charlie era un gentiluomo di Chicago, con un tocco di classe e un buon francese, che nel nebbioso dicembre del 1970 scese fortunosamente – era amico di amici – dal cielo e cambiò la nostra vita.

Charles Fitzmorris aveva venduto la sua catena di supermercati a Burlington Iowa, ma s'era tenuto la proprietà dei sistemi informatici che là, nel suo business, aveva inventato. Erano la quintessenza del pragmatismo. Erano stati concepiti, per così dire, dal di sotto, dagli utilizzatori, non da informatici puri. Erano fantastici, e lo sono ancora. Voleva venderli e noi, per l'Italia, li acquistammo in esclusiva. E questi li pagammo. Ma lui si portava dietro anche un pacchetto di conoscenze, di *expertise*, che volentieri ci trasmise, subito e poi nel corso degli anni, grazie a una simpatia reciproca dalla quale nacque una grande, grandissima amicizia.

avrebbe aperto nuove visioni al nostro modo di condurre il business.

È una storia che forse, se Dio me ne darà voglia e tempo, potrei anche scrivere.

Ma questa non è la storia di Caprotti e neppure la storia di Esselunga. Questa è una storia di cassa e martello, perché è della cassa che qua dobbiamo parlare. Una cosa che un tempo era onesta e dichiarata, alla luce del sole. Era quasi bello, in occasione delle elezioni, leggere sul *Corriere* che Achille Occhetto, il segretario del "Partito", faceva visita ai "suoi" ipermercati dell'Emilia...

Ciò favorì enormemente le nostre tendenze all'innovazione, ci evitò i madornali errori che vedevamo compiere da altri, e ci consentì quel salto in avanti che ci avrebbe poi salvato. Informatica, logistica, magazzini di stoccaggio e distribuzione, accesso e collaborazione con aziende allora avanzatissime in California, Illinois e *upstate* New York, furono i propellenti che consentirono la nostra riscossa dell'89-'90. Quando, senza saperlo, eravamo diventati forti.

I nostri già eccellenti rapporti con IBM, grazie a Charlie si intensificarono e ci portarono alla sperimentazione dell'uso dei codici a barre ben prima che questa tecnologia trovasse applicazione in Italia. L'America era ai primi balbettii; ma noi già nel gennaio del 1977 eravamo con IBM in California e a Chicago. Era importantissimo: non aver più la costrizione di prezzare ogni singolo prodotto nell'atto di rifornimento dello scaffale era di un'importanza *paramount*. A parte il resto.

Nei primi anni '80 installammo con IBM le loro casse con lettore laser in sei negozi, quando il codice a barre nazionale era di là da venire. Ce lo facemmo interno. E applicavamo ai prodotti un'etichetta col codice a barre fatto in casa, anziché l'etichetta col prezzo. Per sperimentare.

Poi quando, come si dirà più avanti, la codifica sui prodotti man mano e per merito nostro arrivava – bisognava imporla a fornitori riluttanti – ogni sabato Rino Orenti, per tanti anni capo dell'informatica, veniva da me per darmi i dati della percentuale dei "pezzi" codificati consegnati ai negozi nella settimana!

Anche nella progettazione dei magazzini, Fitzmorris fu determinante. Abbiamo appena inaugurato in Piemonte il più grande (dei nostri) mai realizzato, ed è come il primo, del 1972-1973, che da Charles Fitzmorris aveva avuto una piega essenziale. Il magazzino automatico cui si accennerà in seguito è coerente e figlio di questi.

Charlie fu fondamentale anche nei rapporti internazionali. Conoscemmo persone di rilievo, americane o giapponesi non importa, importante fu aprirsi.

Trattandosi dunque qui di questa storia e non di altro, devo ancora abusare dell'altrui pazienza nel riferire la straordinaria esperienza fatta coi sindacati – più particolarmente con CGIL – ed i miei primi contatti con Coop.

Sul piano personale gli debbo molto, anche la mia conoscenza di Chicago, *the windy city*, metropoli stupenda, di architetture, di archeologie industriali, di pinacoteche stupefacenti. Ci andammo non so quante volte e io ne ho una grande nostalgia: niente è più americano di quella grande, potente città.

Per una miglior comprensione degli eventi, va forse aggiunto che in quegli anni (1971-1990) la nostra espansione era arrivata pressoché allo stallo. Per quattro anni di fila non aprimmo un solo negozio. Avere i permessi era durissimo. Iniziò anche l'era delle tangenti, che noi mai pagammo. Dall'altro lato, l'aumento dei costi e delle inefficienze ci spingeva ad investire quel poco cash flow che ci rimaneva in tecnologie, impianti, attrezzature che ci aiutassero a contenere tale aumento. Facevamo tutto ciò senza un piano preordinato, senza una strategia. Anzi, si viveva alla giornata, tutto quello che si poteva fare era cercare di salvarsi.

Ma il risultato fu che, al dunque, l'azienda pur piccola e sfiancata, era veramente robusta ed efficiente. Al momento buono rispose, lei sì, in modo formidabile. Formidabili quegli anni.

SUICIDIO DI UN BOOM

Agli inizi degli anni '60, sull'onda di un troppo repentino benessere, il clima del Paese cambiò.

Iniziò da un lato il grande sperpero, dall'altro ci toccò subire la nazionalizzazione dell'energia elettrica con tutte le sue ricadute[7], fino ad arrivare alle "convergenze parallele" e ad altre fumose invenzioni di Aldo Moro. Il "miracolo economico" italiano induceva politici impreparati a ritenere che le risorse fossero inesauribili.

I primi pesanti sussulti sindacali, particolarmente nell'industria, iniziarono nel 1960 col cosiddetto "premio di produzione".

Nell'industria cotoniera – mi si consenta un flashback sulla Manifattura Caprotti – il "contratto di lavoro" era vigente, ed io vedevo questa richiesta, rivolta ad un limitato numero di aziende (Mazzonis a Torino, Caprotti in Brianza, Cantoni nella zona di Busto Arsizio e Cotorossi a Vicenza), come una violazione dei patti sottoscritti.

---

[7] Ancor oggi, l'energia in Italia è la più cara di tutto il mondo industrializzato.

Si vociferava, a Macherio come ad Albiate, di una "occupazione" degli stabilimenti. Il 21 settembre 1960 fui ricevuto in Prefettura a Milano, ove il rappresentante del governo in persona, Vicari, mi mise in guardia: dovevo cedere – fu questo il succo del suo discorso – perché il governo proteggeva i "deboli", ed in caso di un'occupazione degli stabilimenti le forze dell'ordine non sarebbero intervenute. Mi disse bonariamente: «Lei i soldi li ha: li dia». Ero avvisato. Potevo solo piegarmi.

Feci allora presente a Vicari che sarebbero saliti i costi, e conseguentemente i prezzi. Ma questo lasciò il prefetto nell'assoluta indifferenza. La sua preparazione "economica" era quella del Paese: nulla. Era il 1960 ed era l'inizio dell'inflazione.

Ma questo sarebbe stato ancora niente. Nel corso degli anni '60 il clima andò surriscaldandosi e con lo scoppio del '68, prima a Berkeley e poi a Parigi, cominciò una fase di turbolenza che in Italia divenne ben presto permanente. Si entrò nell'era della sommossa continua, coi rituali cortei del sabato in città, col lancio dei cubetti di porfido e dei bulloni. E con le "occupazioni" e gli "espropri proletari"[8].

---

[8] *Con l'autorizzazione del conte Giannino Marzotto, trascrivo qui di seguito la sua relazione sugli accadimenti di Valdagno del 1968. Il testo è parte del suo libro* Così è o mi parve *(Fucina editore, pag. 101 e seguenti). Il capitolo s'intitola "Sciopero".*

19 aprile 1968: due giorni dopo che mio padre mi aveva nominato presidente e consigliere delegato della Marzotto iniziarono a Valdagno quelle azioni di guerriglia che trascinarono guai ben più grandi. È vero che una agitazione sindacale lascia uno stato di tensione, ma mai aveva raggiunto il grado di teppismo che tutte le forze politiche, amministrative e sindacali riconobbero.

La televisione diede ampio rilievo agli episodi e mio padre, che era anche indisposto, ne soffrì terribilmente e purtroppo questi proseguirono sulla spirale della violenza. Erano allora di moda i vietcong e lo sciopero veniva sosti-

Un venerdì pomeriggio, fine anni '60, nel timore di un'invasione dei supermercati per il sabato, il nostro grande penalista Antonio Bana mi condusse dal comandante dei Carabinieri della piazza di Milano, in via Moscova.

tuito con l'occupazione della fabbrica. I cosiddetti katanghesi, armati di sbarre, presidiavano le fabbriche e imponevano il comportamento più esagitato. Le azioni degli estremisti portarono a rovesciare – di notte – monumenti onorati da tutti. Si cercò ogni possibile dialogo con i sindacati, che però apparivano distratti, rispetto al problema locale, da ideologie di altra natura. Queste mie note aiuteranno a comprendere il clima di quei giorni: in realtà mi convinsi, o così mi parve, che i lavoratori locali si aspettassero qualche ragionevole risultato, non la luna del pozzo! Si sa: l'impresa che guadagna continua, se perde chiude.

Essi erano tuttavia guidati dai sindacati locali i quali erano in una sorta di conflitto con i sindacati nazionali per via di riparti di quote associative. Il Centro, diretto da Lama e Storti, aveva conquistato, non dico il potere, ma almeno la televisione: non poco! E, in realtà, puntavano più in alto.

La milizia sindacale locale aveva, non pochi problemi: obbedienza *perinde ac cadaver* o adesione agli interessi locali e immediati degli operai? Per la CISL il problema era di non farsi scavalcare a sinistra, per la CGIL conseguire una vittoria strategica che superava i vantaggi locali. In conclusione avemmo riunioni plenarie con tutti i sindacalisti e le commissioni interne di tutte le fabbriche: oltre cento persone!

Il clima era disteso finché l'esponente della CGIL disse: «Lei presidente non proponga nulla, perché noi conquisteremo tutto con la lotta». Di fatto fu così. Continui cortei, saracinesche abbassate per solidarietà, così dicevano i giornali mentre i negozianti temevano per le vetrine, volantinaggio e intimidazioni. I sindacati assunsero i poteri, ma visto che non erano pronti a esercitarli, li persero in pochi anni. L'economia nazionale affrontò una politica di indebitamento pubblico sbalorditivo inseguendo più le chimere che la realtà.

Ma osserviamo fugacemente la cronaca nei dettagli. Furono convocate assemblee dei lavoratori che erano dominate dalla violenze che non lasciavano certamente spazio alla discussione. Le fabbriche erano permanentemente occupate, la polizia prudentemente assente, ma surrogata, almeno alla domenica, da S.E. il Vescovo che celebrava messa sugli spalti coperti di stendardi rossi. Credo che Pirelli e Marzotto fossero gli obiettivi principali dei sindacati perché considerati le bandiere del capitalismo illuminato e umano: queste istituzioni si volevano demolire o umiliare.

Infine la situazione precipitò. Iniziò l'occupazione permanente delle fabbriche di Valdagno e dintorni che durò circa ottanta giorni. Questo, per motivi logistici, si concluse con l'arresto di tutti gli impianti della Marzotto: perdere parecchie centinaia di ore di lavoro individuale per poche decine di lire all'ora – così si concluse – appare assurdo a chi non fa politica. Vi fu

L'ufficiale dell'Arma fu molto gentile ed elegante. Gli esposi il nostro caso e mi assicurò che avremmo avuto un'attenzione discreta. Cioè nei limiti del consentito. Perché, mi disse, «sono duemila in questa città, e li conosciamo tutti. Potremmo mettere ordine in un paio d'ore, ma...». Ministro dell'Interno era il democristiano Paolo Emilio Taviani.

Sebbene fossero anni di continue agitazioni, il sindacato non aveva ancora quei poteri che lo "Statuto dei lavoratori" gli avrebbe conferito di lì a poco. Questa legge entrò in vigore nel maggio del 1970 e cambiò, per così dire, il panorama lavorativo del Paese.

Ai sindacati fu dato uno straordinario potere di rappresentanza, a cominciare dal diritto di convocare in qualsiasi momento dell'orario di lavoro, cioè – nel nostro caso – di apertura dei negozi, l'"assemblea dei lavoratori" e questo divenne, qui da noi, una delle consuetudini più praticate.

perciò una serie interminabile di incontri con persone tanto volonterose quanto ininfluenti e il gran desiderio era – in certi ambienti – che l'impresa di Stato, allora la Lanerossi in perdita catastrofica, si surrogasse al paternalismo efficiente dei Marzotto.

Naturalmente c'erano i ribelli della maggioranza silenziosa. Ricordo qualche incontro in cui la domanda, assai discreta, che mi ponevano era: «Ma tu che comandi, cosa ci comandi?». La mia risposta, altrettanto discreta, era: «Sono qui per organizzare una impresa e non la controrivoluzione».

Ebbene, e per concludere sorridendo, fu la prima e ultima volta nella mia vita che mi fu assegnata una scorta armata. Avevo allora una FIAT 1100 TV leggermente truccata e, quando partivo dallo stabilimento, con quattro sgommate disperdevo le scorte piuttosto innervosite. Facevo per tornare a casa delle strade interne e mi fermavo anche talvolta nei bar dei paesini a chiacchierare. Non ebbi mai paura anche perché penso che se uno ha un ruolo deve affrontare con serenità i rischi che questo comporta. Succede.

Alla fine intervennero tutti i sindaci della vallate e, con una riunione notturna, si pose termine allo scempio commesso. Nulla era stato conquistato, ma si era affermato il principio che una dura lotta porta vantaggi di potere. La stampa nazionale esaltò la vittoria dei sindacati che, in realtà, non avevano acquisito nulla.

Il supermercato era aperto, c'erano i clienti, l'assemblea veniva strumentalmente convocata e si teneva nella sala di vendita. Un'incredibile bagarre.

La stessa cosa accadeva nei nostri magazzini centrali, col risultato che la merce nei negozi mancava sistematicamente. Al mattino alle 7 ci riunivamo sempre, ed uno dei compiti degli "ispettori alle vendite" era di assegnare il numero dei colli da destinarsi a ciascun negozio, poiché il volume totale era contingentato. Ma gli scaffali rimanevano spesso vuoti e così, per renderli meno bui e tristi io ideai il fondo di plastica bianca, esistente ancor oggi senza che nessuno sappia più il perché.

Per due anni sospendemmo ogni tipo di pubblicità, poiché nei negozi mancava costantemente la merce. Siccome la contestazione era permanente ed ogni contestatore rappresentava un caso a sé, era più il tempo che il direttore di negozio perdeva a tentare di dirimere faccende di cui sapeva ben poco di quello che passava a dirigere il negozio. Avrebbe dovuto essere un avvocato.

E così, per cercare di dargli un sostegno, istituii il "servizio del personale di rete", cioè affiancai ad ogni ispettore – che da noi guida sette o otto negozi – uno specialista del personale che potesse occuparsi delle problematiche create da questo clima di conflittualità sindacale permanente.

Il disordine tuttavia raggiunse livelli parossistici. Il grado di efficienza continuava a scendere, talché alla mattina alle 7 era una litania. La gente lavorava sempre meno e la richiesta di nuove assunzioni divenne costante. Due cassiere qua, un addetto là. Coloro che avrebbero dovuto dirigere, segnatamente il direttore della rete di vendita e gli ispettori, erano come inebetiti, privati di ogni facoltà di operare, di fare il loro lavoro.

Così l'azienda, nel suo tentativo di ammansire la belva, iniziò a cedere e concedere. Era cominciata l'epoca dei cosiddetti "contratti integrativi aziendali", aggiuntisi negli anni '70 al "contratto collettivo nazionale di lavoro". Allo scadere di ogni triennio, il sindacato presentava le sue richieste – la famosa "piattaforma" – e le supportava con opprimenti quanto inutili "agitazioni". Seguivano estenuanti trattative, finché non si arrivava, dopo parecchi mesi e dopo notti e notti di discussioni, al cosiddetto "accordo". Nessuna intesa venne mai siglata prima delle quattro del mattino. Era un rito.

Il primo "accordo" fu nel 1971, e non lasciò un gran segno. Il secondo, nel 1974, comportò soltanto un aumento del costo orario del lavoro.

Ma fu nel 1978 che, sotto la terribile pressione di scioperi ed "agitazioni", l'azienda si piegò e concesse, unica nella distribuzione italiana, il lavoro a turni. Questo significava che una squadra di lavoratori operava soltanto al mattino ed un'altra soltanto al pomeriggio, come in uno stabilimento industriale. I negozi però erano chiusi per gran parte della presenza dei lavoratori medesimi. In altre parole, gli addetti c'erano, ma il negozio, il nostro impianto, era chiuso, fermo. E le conseguenze economiche non potevano che essere catastrofiche. Devastanti.

Infatti la legge sul commercio del 1971, la 426, vietava un'apertura dei negozi superiore alle otto ore giornaliere. Conseguentemente i negozi erano aperti quattro ore al mattino e quattro al pomeriggio (a Milano, per esempio, l'orario era 8.30-12.30 e 15.30-19.30).

Come se non bastasse, questa divisione del lavoro in

i dcl '900. Una frotta di bambini sul ponte di Albiate.
ti sono scalzi, com'erano spesso scalzi i bambini negli anni della mia infanzia.

La nonna Bettina. Elisabetta Caprotti (1873-1966).

Albiate, giornata di tiro alla quaglia. Mio nonno, Bernardo,
ˇcolo Giuseppe, mio padre, e la sorella Silvia, quella che diventerà
ˈiletta zia Silvia di Brusimpiano, Varese.

1908. Rapallo. Mio nonno Bernardo con i figli Giuseppe, Silvia e Carolina. Al mare si va vestiti.

1910. Giuseppe Caprotti, sul seggiolino anteriore accanto a suo zio Guido, veste alla marinara. Sul fondo, a sinistra, Silvia e, sulla destra, la sorella Carolina.

1916. Giuseppe Caprotti sul terrazzo della casa di Albiate.
L'anno dopo andrà in guerra.

1919. Giuseppe Caprotti a Oberbozen, convalescente dalla malaria contratta in Albania. Ventenne, è ufficiale degli Alpini.

1926. Il nonno Georges Maire
tiene in braccio il suo terrier preferito e me.

1927. I miei nonni di Francia, Fernande Kampman e Georges Maire,
in visita alla loro figlia Marianne, mia madre. Venivano dai Vosgi
con la loro grossa Peugeot, una macchina scoperta.

Tengo al guinzaglio due dei numerosi cani – danesi, spinoni,
setter – che animavano la casa di Albiate.

1929. La Talbot di mio padre, un 6 cilindri di 6.000 di cilindrata.
Il meccanico è l'autista Luigi Galli. Mi insegnò a guidare la Topolino
quando avevo 11 anni e con lui passai ore deliziose in garage.
Gigetto fu con noi per cinquant'anni.

1939. Liliana Segre con il padre Alberto durante una vacanza a Macugnaga, ai piedi del Monte Rosa. Cinque anni dopo saranno deportati ad Auschwitz.

1939. Mio padre sullo sfondo del Sassolungo. I "ragazzi del '99" prediligevano la montagna. Si portavano scarponi coi chiodi. Quando si rientrava da due o tre giorni per rifugi, bisognava andare dal calzolaio: metà dei chiodi se n'erano andati.

1947. Con una delegazione di industriali, mio padre
Giuseppe Caprotti va per la prima volta in America.
Curiosamente la traversata avviene con un piroscafo polacco.

Febbraio 1951. Il mio arrivo a New York di prima mattina
con l'Ile de France; sulla destra si intravede il ponte di Brooklyn.

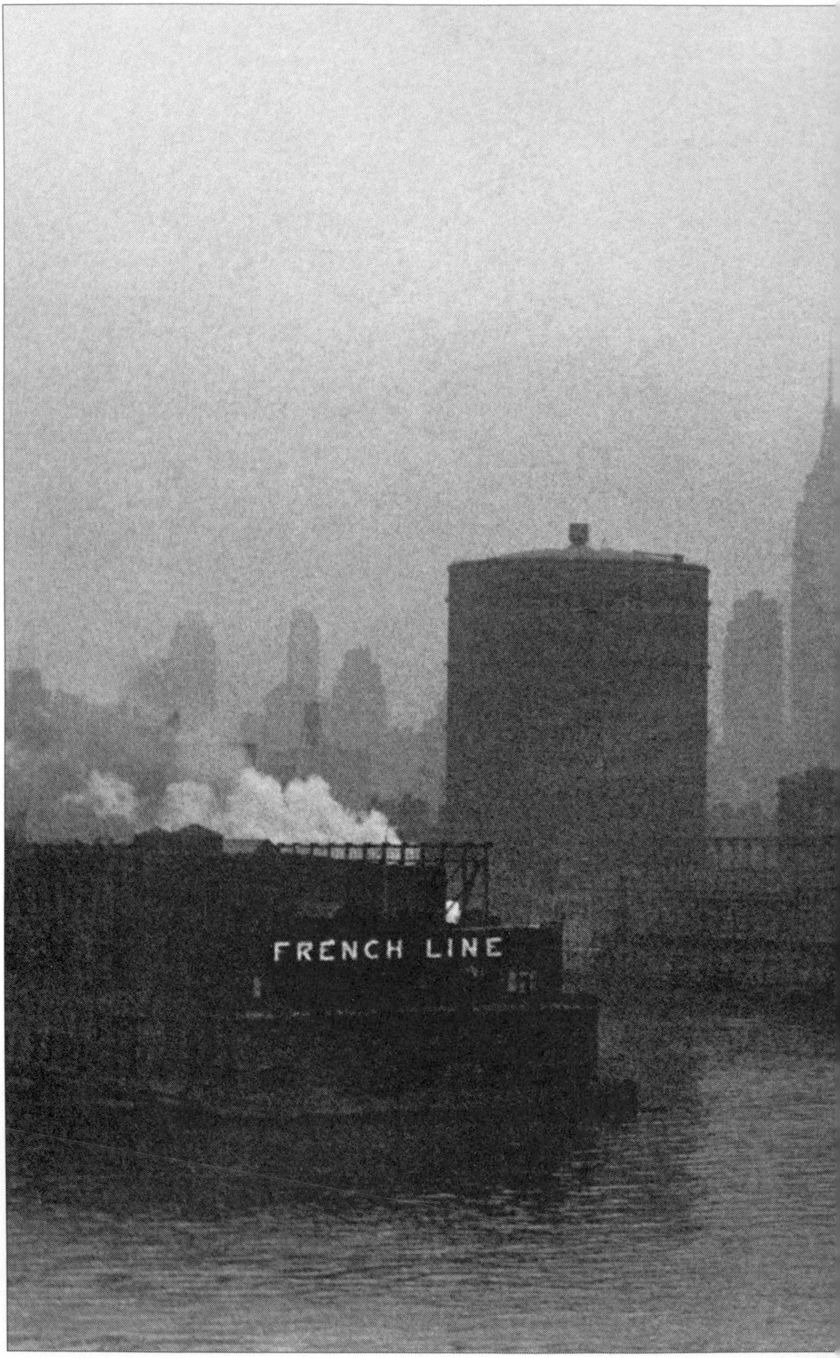
FRENCH LINE

New York, 14 dicembre 1951. Skyline di Manhattan
dal Queen Elizabeth che si stacca dal molo della Cunard
per la traversata del Nord Atlantico.

Milano, 27 novembre 1957. Si apre il primo
supermarket. Porta l'insegna disegnata da Max Huber
che genererà il nome Esselunga.

Milano, 27 novembre 1957. All'apertura del primo supermarket
in viale Regina Giovanna a Milano, il senatore Mario Crespi, terzo da sinistra,
osserva con me, al centro, il funzionamento di una cassa.

Ferdinando Schiavoni (Roma 1924 – Piacenza 2003).

Schiavoni affronta una mandria di bufali. Fra qualche secondo
abbatterà l'animale più vicino e fermerà così la carica. Della leggendaria immagine
che ritraeva quell'istante, e che fece all'epoca il giro del mondo venatorio,
non ho più trovato il fotogramma.

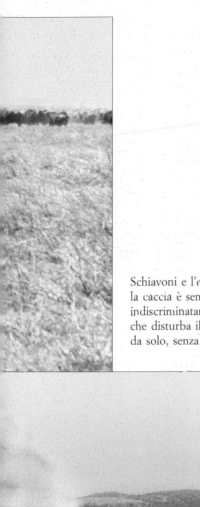

Schiavoni e l'elefante. Per il vero cacciatore,
la caccia è sempre una caccia di selezione, non si spara
indiscriminatamente. Si abbatte il vecchio maschio
che disturba il branco. Schiavoni cacciava sempre
da solo, senza l'assistenza del "cacciatore bianco".

Superstore di Camaiore (Lucca).
Architetto Ignazio Gardella.

Superstore di Macherio (Milano).
Architetto Luigi Caccia Dominioni.

Interno del Superstore di via Canova, Firenze. Architetto Mario Botta.

due turni comportò anche un aumento del personale occupato.

Un esempio rende la cosa di più facile comprensione: se a Milano, in viale Zara, abbiamo 80 addetti, dividendoli in due turni, diventano 40 addetti per turno; ma con 40 addetti, nelle ore di apertura, non si coprono i servizi del negozio, né le casse, né il rifornimento, né il resto. E così gli organici dovettero essere aumentati del 20%.

Tuttavia, in presenza di continue pesanti agitazioni, nel 1985, con un nuovo "contratto integrativo aziendale", fu accordata la riduzione dell'orario di lavoro settimanale da 40 ore a 37 e mezzo, a parità di retribuzione, con l'obiettivo già fissato di scendere dopo tre anni a 36. Ma tutto questo non valse a placare chi conduceva il gioco. Anzi.

Bisogna considerare che scioperi, agitazioni, picchetti ed assemblee causavano generalmente la chiusura dei negozi con un danno enorme per l'azienda, non tanto per le mancate vendite, quanto per il disavviamento. Alla seconda o alla terza volta il cliente, più spesso la cliente magari anche impaurita, era da considerarsi perduta: non l'avremmo più rivista.

Vale la pena di riferire un episodio che esemplifica la situazione cui si era arrivati.

Il 7 ottobre 1976 venne indetta un'assemblea – magazzini ed uffici – nella sede centrale di Limito. Non tutto il personale degli uffici aderì ed allora una dozzina di *mascambrones*, come poi li avrebbe chiamati per anni il direttore del personale, dottor Roberto Delzotto, irruppe nei vari uffici pretendendo che tutti lasciassero il proprio posto di lavoro per andare in assemblea.

Quest'irruzione arrivò fino alla segreteria di direzione e al mio stesso ufficio. Le segretarie venivano pesantemente insultate.

Il gruppo di *mascambrones* era capeggiato da un certo Bulgari, un facchino che lavorava nel magazzino dei formaggi, il quale urlava come un ossesso: «Libertà è aderire alla maggioranza». Questo è ciò che era stato instillato nel suo cervello. Però la cosa mi fece orrore perché io ricordavo quel pazzo che dal balcone di piazza Venezia urlava: «Chi non è con noi è contro di noi».

Soltanto l'intervento di Ferdinando Schiavoni, del quale più avanti dirò, mi salvò dallo scontro fisico. Costoro se ne andarono ma non tutto il personale degli uffici uscì e così vennero dichiarati due giorni di sciopero dell'intero centro e tutti i negozi rimasero per più giorni senza merce.

In Toscana, la situazione arrivò ad essere anche più tesa. Basti qui ricordare l'episodio avvenuto nel negozio dell'Argingrosso, nel dicembre del 1976, quando un gruppo di sindacalisti prese a gettare a terra tutti i prodotti che stavano sugli scaffali. Nel parapiglia, in sette circondarono il direttore, Gianfranco Vannini, il quale, spintonato ed insultato, cadde a terra colto da un ictus. Non morì, ma fu rovinato per la vita.

E si arrivò all'episodio dei "chiodi", anni '80. I "chiodi" in realtà erano composti da due triangoli di ferro dalle punte acuminate, incrociati fra loro e saldati in modo tale che avessero sempre una punta rivolta verso l'alto (*allegato 1*). Erano autentiche armi da guerriglia urbana. Venivano gettati davanti all'uscita del magazzino centrale di Firenze per squarciare le gomme dei nostri camion. Un autista che era riuscito a passare ugualmente fu inseguito e sorpassato sull'autostrada Firenze-mare. Dall'abitacolo dell'auto che lo aveva superato, furono lanciati questi "chiodi", che provocarono lo scoppio di una gomma. L'autotreno sbandò paurosamente, finendo contro il guard-rail: il guidatore si salvò per miracolo.

In questo quadro di estrema sofferenza, l'azienda stava ormai spegnendosi. I risultati di bilancio tendevano allo zero, la situazione si faceva pericolosa in quanto agli "amministratori" non era consentito di amministrare, ma tutti gli oneri e le responsabilità stavano in capo a loro, a me.

Venne il 1988. Ed i sindacati ci presentarono una nuova assurda "piattaforma", con la richiesta di scendere a 36 ore di lavoro e di ulteriori aumenti salariali. Il nostro costo del lavoro, per tutto quanto sopra descritto, era già del 25% superiore a quello dei concorrenti.

Nel 1987 il vecchio direttore del personale s'era dimesso ed il suo posto era stato coperto dal gagliardo dottor Delzotto. Nella circostanza, gli dissi: «Piattaforma un cazzo. Presentiamo noi la nostra "piattaforma", rimettiamo tutto a zero». Demmo battaglia ed il signor Paolo De Gennis, oggi vicepresidente, mi ricorda che io dissi a Delzotto: «Sarà un bagno di sangue». Nell'ottobre di quello stesso 1988 annunciammo 904 "esuberi", cioè decidemmo – conti alla mano – che 904 persone (su 5.684) erano di troppo. Si scatenò una lotta senza quartiere.

Nel marzo 1989 pubblicammo un annuncio a doppia pagina sui maggiori quotidiani, denunciando alla pubblica opinione gli incredibili episodi coi quali pretestuosamente le maestranze venivano tenute in uno stato di perenne "agitazione". Questo produsse un grande consenso tra i nostri clienti.

Già all'inizio della "vertenza" avevamo deciso che non ci saremmo più piegati agli scioperi. I nostri negozi sarebbero stati sempre aperti. Ci saremmo opposti in ogni modo al picchettaggio. E subito, con nostra sorpresa, dovemmo constatare che buona parte del personale, particolarmente in Lombardia, "entrava", cioè entrava a lavorare, superando insulti e picchetti.

Nell'affrontare finalmente lo scontro, per duro che potesse essere, non avevamo messo in conto quattro cose.

Primo: tutti i "capi" e buona parte del personale erano esasperati e stufi di essere sbeffeggiati.

Secondo: nel 1988 era entrato in funzione a Limito un magazzino automatico, allora unico in Europa nel nostro settore, che si rivelò un'arma decisiva.

Terzo: avevamo finito di installare in tutti i negozi le casse coi lettori di codici a barre, non occorreva più digitare i prezzi e chiunque poteva stare alla cassa.

Quarto: coi prodotti ormai codificati, il rifornimento in negozio diventava spedito. Invece, prima, ogni singolo pezzo (milioni di pezzi) doveva essere prezzato manualmente per essere posto in vendita.

I nostri negozi rimasero sempre aperti, i sindacalisti non riuscirono più a impedircene l'apertura. Fummo trascinati in tribunale con decine di cause per "comportamento antisindacale", un reato di invenzione italiana. Ebbero poco successo.

Fu una lotta disperata, una lotta per la vita, che durò oltre tre anni.

L'organico fu gradualmente ridotto di 1.064 persone, cioè il 20% della forza lavoro.

Con gli "accordi" del dicembre 1991 a Milano e del gennaio 1992 a Firenze, siglammo la resa, ma questa volta eravamo dall'altra parte del tavolo, con:

A) il congelamento dell'orario di lavoro a 37 ore e mezzo e l'annullamento dell'ulteriore riduzione prevista;

B) l'aumento della flessibilità degli orari di lavoro;

C) l'ampliamento del turno notturno nei magazzini centrali;

D) l'azzeramento del contenzioso legale.

Riprendemmo così il controllo della rete di vendita e dei depositi. Avevamo salvato l'azienda.

Tutti i nostri sindacalisti interni se ne andarono. Alcuni fecero una brillante carriera nel sindacato, uno è addirittura "nazionale". Nessuno per ora è diventato ministro. Tempo al tempo.

Alla fine del tormentone, andai a Firenze. Come d'abitudine visitai diversi negozi. Fui accolto calorosamente da molta gente. Mi sentii dire grazie. Erano contenti: avevano riacquistato la libertà di lavorare.

Vorrei chiudere questa fosca, lunga carrellata su oltre vent'anni di tormento, con un riconoscimento. Un signore importante, il dottor Ferdinando Schiavoni, che per tantissimi anni, dal 1957 al 1990, fu con me al vertice dell'azienda, aveva del nostro caso un'opinione "diversa". Schiavoni era una persona molto particolare. Grande cacciatore d'Africa – dell'Africa, oltre che degli inglesi, era innamorato – del cacciatore aveva il fiuto, l'istinto. Ed un coraggio leggendario.

In quegli anni in cui la pressione, l'aggressione dei sindacati si fece insopportabile, segnatamente in Toscana, lui mi disse non so quante volte: «È la Coop!». Ed io lo zittivo, talvolta anche con sufficienza, era una cosa che mi rifiutavo addirittura di immaginare.

Devo attribuire a Schiavoni molti meriti. Ad esempio: nel 1977 Francesco Colucci, presidente dell'Unione Commercianti di Milano e poi presidente di Confcommercio, si era appropriato del progetto del codice a barre in Italia e lo teneva volutamente fermo. Ai commercianti, agli ambulanti non solo non interessava, anzi la sua attuazione avrebbe dato vantaggi competitivi alla "grande distribuzione". Schiavoni, essendo vicepresidente di Confcommercio, trasse il progetto dalla scrivania di Colucci e contribuì a fondare ed a promuovere attivamente l'INDICOD, l'Istituto Nazionale per la Diffusione della Codifica dei Prodotti, che assegna il codice ad ogni prodotto italiano.

Nei primi anni '80, Schiavoni aveva lavorato assiduamente col compianto ministro Giovanni Marcora per liberalizzare gli orari di apertura degli esercizi commerciali. La legge, che costringeva l'attività alle 8 ore giornaliere ed alle 44 ore settimanali massime di apertura, venne diversamente interpretata e se da anni siamo aperti dalle 8 del mattino alle 9 di sera, lo si deve a Marcora ed a Schiavoni. Schiavoni ci salvò da un sicuro disastro e, più ancora che noi, salvò gli ipermercati.

Forse gli dobbiamo anche il credito del suo pensiero "antisindacale" di allora. Oggi, mettendo insieme un po' tutto, vecchio e recente, diventa difficile non dargli ragione. Infatti, alla luce di quanto sperimentato – o, meglio, subìto – in questi ultimissimi anni, guardando a fatti lontani come in un cannocchiale rovesciato, le cose si compattano, ed assumono un significato preciso.

Carlo Olmini, uomo di Legacoop in Lombardia, insisteva, come si vedrà fra poche pagine, affinché Esselunga facesse pubblicità sull'*Unità*.

Turiddo Campaini, da sempre presidente di Unicoop

Firenze, dichiara ora che, per causa nostra, proprio in quegli anni '60 e '70 passava notti insonni.

Guardando un po' più da vicino i curricula di costoro, si constata come tutti – ma proprio tutti – passino sistematicamente da una "parrocchia" all'altra della stessa "chiesa". Partito, sindacato, Coop, amministrazioni locali, Parlamento... Una aggregazione ad alto potenziale.

La CGIL, il sindacato comunista, durissima, sempre, con noi.

Le incredibili telefonate del 2005 sull'affare Unipol: Pierluigi chiama Pierluigi, Piero chiama Gianni, Massimo chiama tutti.

Nel 2005, Unipol, attraverso un prestigioso studio legale, si fa avanti per acquistare Esselunga...

Aldo Soldi, presidente di tutte le Cooperative di consumo, ci assedia, come da incontrovertibile documentazione.

Ed ora, proprio ora, mentre scriviamo, è in corso una "agitazione", come si vedrà nell'ultimo episodio narrato più avanti.

A questo punto, una cosa credo che si possa pacificamente affermare: sono tante le parrocchie, ma una sola è la chiesa. E una sola è la cassa. Cassa e martello.

PRIME AVVISAGLIE

Il mio primo contatto con Coop ebbe luogo nel 1966. Avevo assunto da pochi mesi la carica di amministratore delegato di Supermarkets Italiani Spa, quando una conoscenza dimenticata, Carlo Olmini, mi telefonò. Era di Carate Brianza e ci eravamo conosciuti molto bene da ragazzi, soprattutto sul tramway col quale da Carate e da Albiate, durante la guerra, andavamo a Monza e da lì a Milano, Porta Venezia. Era diventato un esponente del Partito Comunista Italiano ed altissimo dirigente di Legacoop. Io, a mia volta, ero diventato un concorrente di Coop Lombardia e lui mi telefonava, chiaramente, per conto di quella parrocchia.

Era un comunista molto avanzato, quasi come quelli di oggi. Aveva sposato una tedesca. Portava spesso dei maglioncini o dei girocolli bianchi sotto un blazer blu. Era già allora un comunista chic. Ci incontrammo parecchie volte. Era simpatico. Un comunista di eccezione, che ti guardava dritto negli occhi.

Dopo forse un paio d'anni di incontri amichevoli, un giorno a Limito mi disse che dovevamo fare la pubblicità sull'*Unità*. L'organo del Partito Comunista Italiano tirava 150.000 copie ed era letto da molti dei nostri clienti, sosteneva. E poi tutti i concorrenti – Rinascente, SMA, Standa, eccetera – la facevano. Gli risposi che noi non l'avremmo mai fatta. E così dopo un po' di insistenze – c'era fra di noi quella confidenza di quando ci si conosce da ragazzi – un bel giorno mi disse: «Bernardo, tu la pubblicità sull'*Unità* non la fai, però, per favore, li ricevi e glielo dici, così la smettono di rompermi le palle».

Diedi loro un appuntamento qui a Limito per – ricordo molto bene – un mercoledì. Ma poi, proprio nel mercoledì prefissato, fu dichiarato uno di quei begli scioperi generali che tanto hanno contribuito al progresso del Paese. Lasciai le cose come stavano. E siccome in quelle circostanze non era neppure consentito entrare in sede, feci una cosa inusuale, diversa: andai a caccia con mio fratello Guido a San Bernardino, nella riserva dei Marelli.

Che cosa ne sarà stato di quelli dell'*Unità*? Probabilmente vennero e trovarono i picchetti, i fischietti, i fuochi, e tante belle bandiere rosse. E forse pensarono che non era più il caso. Io non ne seppi più niente perché Olmini aveva appena lasciato per andare alla Camera quale deputato del Partito Comunista Italiano, membro per diversi anni della commissione industria e commercio (ed è in commissione che si fanno le leggi, non in aula!).

Come esponente di Coop era un esperto e certamente contribuì alla stesura della legge 426 del 1971, che fu chiamata "riforma del commercio". Furono inventati i "nulla osta regionali", per ottenere i quali occorreva passare al vaglio di commissioni in cui sedevano di diritto ben tre rappresentanti sindacali. Un ulteriore ostacolo al nostro sviluppo.

Ebbimo poi con Coop diversi episodi premonitori di spiacevolezze a venire. Non ho le prove, ed i testimoni sono scomparsi. Ma almeno uno si può tranquillamente raccontare.

A metà degli anni '70 avevamo acquistato nel centro di Pavia, alla Minerva, l'importante proprietà ex Necchi e Campiglio. Per anni non riuscimmo a porci mano. Finché il sindaco di Pavia, un bel giorno, disse al nostro vicepresidente Schiavoni che noi lì non avremmo mai potuto fare niente. L'"operazione" andava ceduta a CCPL di Reggio Emilia. Non sapevamo neppure che cosa fosse, la CCPL. Così telefonai ad Achille Maramotti, l'imprenditore della Max Mara, a Reggio, il quale mi spiegò che si trattava di una cooperativa comunista; che era gente "a posto", ma che lavorando con loro avrei lavorato per il "Partito". Ci pensammo qualche giorno. Che cosa potevamo fare? Avevamo pagato la proprietà a caro prezzo. A Pavia, alla Minerva, è CCPL che ha realizzato il tutto e debbo testimoniare che CCPL con noi si è poi comportata correttamente.

Italianieuropei?

Quanto ho tentato sin qui di riferire attiene a tempi lontani e ad un generico malessere che però non sembrava minare le fondamenta della libertà. Le forze in giuoco nel Paese erano plurime e, fra queste, diverse costituite da "democratici", fossero essi democratici cristiani, socialdemocratici, o liberali e repubblicani che di definirsi democratici non sentivano la necessità. Lo erano.

A costoro si contrapponevano i comunisti.

Oggi, in questo momento, il potere è andato concentrandosi in un qualcosa che di democratico non ha proprio il sapore. Anzi, per certi versi, si rivela come un boa constrictor, che poi soggioga gran parte della pubblica opinione, inclusi onesti maîtres-à-penser.

Chi da questo boa constrictor non sia appunto "costretto", proprio costretto nei fatti, non riesce ad avvertire il pericolo.

L'assedio, l'assalto di cui io sono stato oggetto in questi anni recenti, mi induce a testimoniare. Ecco il perché di questa mia denuncia. Io la vivo come un dovere civile e come una manifestazione di libertà.

Questo è il mio atto d'accusa, la denuncia di fatti italiani che in una Italia "europea" sono – secondo me – inammissibili. "Italianieuropei" [9]?

---

[9] La fondazione, presieduta da Massimo D'Alema, è nata nel 1998 con l'intenzione di costituire un punto di riferimento autorevole all'interno della sinistra ma anche di contribuire «alla selezione delle nuove classi dirigenti nel campo della politica, dell'impresa, dell'amministrazione pubblica e della cultura». Lo fa organizzando incontri tematici e finanziando studi e ricerche, poi diffusi attraverso proprie pubblicazioni. È, insomma, centro e strumento di cultura politica.

Nel Comitato scientifico, presieduto da Giuliano Amato, figura tuttora Giorgio Napolitano. La dirige Pier Carlo Padoan, uno degli economisti che D'Alema portò con sé a Palazzo Chigi nel 1998, quando fu nominato presidente del Consiglio.

Nel Consiglio d'amministrazione della fondazione siede Ivano Barberini, figura storica della cooperazione per essere stato (dal 1979) presidente di ANCC, Associazione Nazionale Cooperative di Consumatori, poi presidente di Legacoop (dal 1996 al 2002). Né potrebbe essere diversamente, dal momento che Legacoop è fra i "soci benemeriti" che finanziano la fondazione, insieme con imprenditori quali Carlo De Benedetti, Guidalberto Guidi, Francesco Micheli e Vittorio Merloni.

IL MIO ATTO D'ACCUSA

1.
MARIO ZUCCHELLI E COOP ESTENSE

A Modena comanda Mario Zucchelli. E non solo a Modena. A Modena c'è un'asta? Un'asta per uno scampolo di terreno possedendo il quale si blocca tutto un pezzo di città? Interviene Zucchelli. In persona. E se si tratta di stoppare nella provincia di Modena un progetto altrui, chi scrive al sindaco di Vignola? Sempre Zucchelli. Zucchelli tiene Modena al guinzaglio, come un cagnolino.

Zucchelli è attivissimo. Ma chi è Zucchelli Mario? Nasce a Castelfranco Emilia (Modena) nel 1946. Frequenta le scuole medie nel convitto dei Salesiani a Bologna. Diplomatosi poi perito elettrotecnico, si laurea in economia e commercio. A 28 anni, nel 1974, entra come impiegato amministrativo nella Alleanza Cooperativa Modenese, della quale nel 1985 diventa presidente. Poi, alla fusione di Coop Modena (nuovo nome) e Coop Ferrara, nel 1989 diventa presidente di Coop Estense, la terza cooperativa di supermercati in Italia.

Negli anni '90, Zucchelli porta Coop Estense in Puglia. Dal primo ipermercato a Taranto (1992), la proietta ad una grande espansione.

Nell'estate 2006, appena varata la legge Bersani per la cosiddetta liberalizzazione della vendita dei farmaci, nel giro di una settimana apre tre farmacie negli ipermercati di Carpi, Bari e Ferrara. Fulmineo.

Zucchelli è presidente di Holmo, la holding finanziaria delle Coop, e di Finsoe. Queste due società rappresentano il vertice del sistema economico cooperativo e controllano Unipol Assicurazioni, in cui Zucchelli è consigliere d'amministrazione. È anche consigliere di Pharmacoop, la società di farmacie di Coop. Ricopre poi molte altre cariche e presidenze nella galassia delle società Coop.

Cercheremo ora di vedere Zucchelli più da vicino, sul suo territorio, ed impareremo così come si fa il business.

Come imprenditori, noi abbiamo cercato ispirazione in qualche grande che ci ha preceduto, che so, Thomas Watson, fondatore di IBM ed inventore dell'informatica, o Ferrero, quello della Nutella. Ragazzi! La vera scuola di business sta a Modena. Modena Business School.

Modena, La Bruciata ovvero Grand'Emilia

Esiste a Modena, tra la città e l'uscita dell'autostrada di Modena Nord, un enorme centro commerciale, fiore all'occhiello della distribuzione democratica. Infatti è stato battezzato Grand'Emilia, benché venga più comunemente – e propriamente – detto La Bruciata.

Come si realizza una cosa così? Beh, intanto si prende in esame l'ubicazione, la *location*, come dicono adesso: Modena Nord, la Via Emilia, una viabilità progettata apposta per "servire", per rendere ben accessibile il nuovo grande punto di vendita.

E l'immobiliare? L'immobiliare, quello che oggi chiamano *real estate*? Più bello di così... Ci sono due proprietà contigue enormi: enormi perché 78.000 metri quadrati di proprietà del Comune più 192.000 appartenenti ad un solo privato fanno 270.000 metri quadrati, una cosa proprio adatta a chi pianifica in grande. E gli emiliani di Modena in grande pensano.

Ciò premesso, vediamo come si può procedere. Il primo passo è la delibera del Consiglio comunale del 2 dicembre 1985, con la quale viene approvato il Piano del commercio della città di Modena. Prevede tre centri commerciali sul territorio, due poi destinati a Coop ed uno a Conad (associazione di commercianti "democratici", anch'essa Legacoop). Uno di essi, uno di quelli di Coop, andrà proprio alla Bruciata, ove il Comune già è proprietario di un bel terreno, come si è visto, ma assolutamente insufficiente al compimento del grandioso progetto.

Ecco perché, a rogito notaio Enrico Osti di Castelfranco Emilia, il 9 marzo 1987 una società di Ferrara a nome Secu, emanazione di Coop Estense, acquista dalla signora Liliana Segre per un miliardo e 100 milioni di lire (568.000 euro) il terreno di 192.000 metri adiacente a quello del Comune, anch'esso affacciato sulla Via Emilia. Amministratore unico di Secu, all'epoca, era Giuseppe Bolognesi, che oggi, solo per citare alcune cariche tra le svariate che ricopre, è sindaco effettivo di Coop Italia e di Pharmacoop. Inoltre, fino al 18 agosto 1998, è stato procuratore speciale di Coop Estense.

Il 9 novembre 1989 il Consiglio comunale di Modena approva la variante generale al Piano regolatore ed il terreno agricolo (dunque non edificabile) venduto dalla signora Segre diventa edificabile commerciale e parcheggio. Su di esso saranno costruiti 15.000 metri quadri (il 32%) della totalità di Grand'Emilia (*allegato 2*).

Quello stesso giorno, quello stesso Consiglio comunale approva il bando per l'assegnazione dell'area di 78.000 metri quadrati di proprietà del Comune, contiguo all'ex terreno Segre, per la realizzazione di un centro commerciale.

Il tempo della gara, il tempo cioè che viene concesso ai concorrenti per predisporre e presentare un simile progetto, è di 40 giorni. Inoltre, nel punteggio del bando, 40 punti su 100 saranno conteggiati a favore di chi si dichiarerà disponibile a chiudere esercizi commerciali esistenti in città.

Due soli contendenti presentano i loro progetti nel termine dei 40 giorni: Coop Estense ed una società con sede a Varedo (Milano), in realtà Euromercato (oggi Carrefour). Ma chi può impegnarsi a chiudere altre superfici commerciali già operanti a Modena? Coop Estense. Che infatti si impegna, nella convenzione col Comune, a chiudere tre punti vendita nella città per complessivi 5.000 metri quadrati:

Coop di via Giardini

Coop di via Galaverna

Conad del quartiere Madonnina.

In seguito tutti e tre riaperti, due Coop ed un Conad (sempre della Legacoop, per intenderci).

Il 20 marzo 1990 il Consiglio comunale individua perciò Coop Estense come operatore cui assegnare l'area di proprietà comunale ove realizzare un centro commerciale di 28.000 metri quadrati di vendita (pari a 28 esselunghe di viale Piave, Milano), con l'obbligo per l'assegnatario di dotare il centro commerciale di ampi spazi per il parcheggio da recuperare nell'ambito della complessiva riorganizzazione del comparto della Bruciata (qui chiamato Cittanova, ma è la stessa cosa), cioè sull'area che la Secu aveva acquistato dalla signora Segre.

Intanto, il 17 novembre dell'ormai trascorso 1989, il Consiglio d'amministrazione di Coop Estense aveva dato mandato al presidente Zucchelli di partecipare alla gara ottemperando a tutti gli adempimenti relativi.

Ormai i giochi sono fatti, conviene forse lasciar passare un po' di acqua sotto i ponti e sarà soltanto il 23 dicembre 1992 (a Natale tutto tace!) che il Comune di Modena venderà a Coop Estense per 10 miliardi di lire (5 milioni di euro) il suo terreno di 78.000 metri sui quali verranno edificati 31.000 metri dei 46.000 di superficie totale del centro commerciale (il 68%). Di questi, 28.000 metri, pari alle 28 esselunghe predette, saranno area di vendita.

Infine, dopo un mese, il 25 gennaio 1993, Secu vende a Coop Estense il terreno di 192.000 metri quadrati, acquistato per quattro lire dalla signora Liliana Segre. Non è rilevante il fatto che, anni dopo, Secu venga fusa in una società, la Tiziano Srl, se non per il fatto che Zucchelli di quest'ultima è amministratore.

A questo punto, tutta l'orchestrazione, tutto il concerto mi sono sembrati chiari, salvo il prezzo del terreno ceduto dal Comune ai cooperatori, che mi è sembrato esiguo. Pur con la copertura di un valutatore americano, 5 milioni di euro per un terreno di otto ettari con tutta quella edificabilità commerciale[10] sono una

---

[10] Va saputo che il commerciale, raro, è generalmente di alto valore, non è come il produttivo o il residenziale.

cosa mai vista. Sapeva il valutatore americano che il terreno era "commerciale"? O pensava di trovarsi nelle praterie del Midwest, coi bisonti? Ma, mi sono detto, affari loro. Se i cittadini di Modena sono contenti...

La mia curiosità si è invece indirizzata alla signora Liliana Segre ed alle sue vicende. Intanto, il cognome: quale storia poteva celare? E poi: come sono riusciti costoro a pagare appena un miliardo di lire il terreno di 192.000 metri quadrati di questa signora, una vera e propria tenuta inclusa nel perimetro cittadino, quando pagano 10 miliardi di lire l'adiacente terreno di 78.000 metri quadrati di proprietà del Comune?

L'atto, come detto, è del 9 marzo 1987. La venditrice è residente a Milano in zona Magenta. Zona "bene". Il terreno le era pervenuto per donazione all'età di 12 anni, nel giugno del 1942, quando si entrava nel pieno dell'immane tragedia delle deportazioni e della Shoah.

Mi sono così trovato nel bel mezzo di una spaventosa vicenda – le famigerate leggi razziali, Auschwitz, lo sterminio – di cui la signora Segre è autorevole e speciale, specialissima testimone.

Attraverso la comunità ebraica l'ho avvicinata. E nel tardo pomeriggio del 22 maggio 2007 sono stato emozionato ospite nella sua bella casa di Milano. Ho incontrato una Signora. Una Signora straordinariamente viva ed intelligente, che mi ha raccontato la sua storia. Che però io non ho il diritto qui di riferire. Né posso dire come e perché lei si sia disfatta di una proprietà donatale dal nonno nell'imminenza d'essere anche lui tradotto ad Auschwitz e di morirvi. Una cosa sola credo di poter dire: che ho incontrato in un ambiente "di una volta" una signora "di una volta". E che i nostri padri erano entrambi "ragazzi del '99", che entrambi erano andati in guerra nel 1917, e che, nel cotone entrambi, si erano certamente conosciuti. Il resto, sono cose nostre. Ricordi indicibili, struggenti, vorrei dire bellissimi nel loro orrore.

Tornando invece alle prodezze dei nostri personaggi, siamo in grado di statuire, in sintesi, come, con poche lire e sorprendente disinvoltura, si "crea" la Bruciata: si fa un piano, si indice un bando congegnato in modo tale che nessuno possa parteciparvi, ci si impossessa di un'area, pubblica e privata, di grandissimo valore. *Et voilà*, a Modena si consolida il monopolio della pappa. Democraticamente.

Unlimited unfairness.

Il caso non ci riguarda direttamente, ci riguarda solo come cittadini. Ma ci è sembrato una bella introduzione al racconto di quanto subiremo per mano di Zucchelli, che, bontà vostra, ci accingiamo a riferire.

Modena, via Canaletto

Dalla costruzione di due punti di vendita negli anni '90, uno a Bologna San Vitale, l'altro a Modena via Morane (uno sgorbio di negozio), nacque il nostro sodalizio con il signor Pierluigi Montanari, dell'impresa Edilmontanari di Modena. Era, anzi è, questo signore un simpaticone, benché nostalgico di certi tempi andati. Troppo, secondo me. Anche se la sua reazione – ora lo possiamo ben dire – è stata determinata dall'incredibile ambiente in cui opera e vive. Comunque, quando alla fine degli anni '90 si presentò l'opportunità di realizzare un supermercato a Modena, in via Canaletto, agimmo congiuntamente.

Si trattava di un'area molto ampia, 60.000 metri quadrati in totale (*allegato 3*), sulla quale realizzare molta edilizia residenziale, un albergo ed un supermercato. Acquistammo, tramite Edilmontanari, il 72% della superficie complessiva per la somma di 24 miliardi di lire. Era il 2 marzo 2000. Il Comune di Modena era già proprietario del 10% del totale dell'area ed aveva interesse a portare avanti il Piano particolareggiato non solo per bonificare e completare un pezzo importante del territorio cittadino, ma anche perché su una porzione equivalente alla parte di sua proprietà progettava di realizzare case popolari.

Sotto il profilo urbanistico non c'erano problemi, l'area costituiva un "comparto" ove destinazioni d'uso, volumi e quant'altro già erano pianificati. Il Comune e noi controllavamo l'82% della proprietà, mancava un residuo 18% costituito da un'area di forma irregolare posta là dietro, contro la ferrovia e senza nessun affaccio sulla strada. Quest'area era parte di un fallimento e sarebbe andata all'asta di lì a poco. La sua appetibilità era assai bassa ed una volta acquisita avremmo potuto, congiuntamente al Comune, gestire il 100% del progetto.

Ma avevamo fatto i conti senza l'oste, Zucchelli. Un oste imbottito di denaro. L'asta ebbe luogo l'8 febbraio 2001 partendo da un valore di perizia (alto, secondo noi) di 5 miliardi di lire. Montanari partecipò all'asta. Per Coop Estense intervenne in persona Mario Zucchelli, il presidente, che, a colpi di miliardi, sbaragliò il povero Montanari, il quale si difendeva a 100 milioni per volta. Zucchelli si aggiudicò l'area per la cifra impossibile di 23 miliardi di lire, con tre rilanci non ancora finali da 900 milioni ciascuno. Ad un ulteriore rilancio di 100 milioni da parte di Montanari, che era così arrivato alla cifra pazzesca di 21 miliardi e 100 milioni, Zucchelli fece un'ultima battuta da un miliardo e 900 milioni.

È così che Zucchelli diventa un Grande Maestro di fuochi artificiali, forse meriterebbe un cavalierato: un simile botto finale non si era mai visto.

La cosa fece molto rumore e generò brucianti articoli sulla stampa locale, sul *Resto del Carlino* (titolo del 15 febbraio 2001: «Che pasticcio lungo i binari. Gare miliardarie per pochi ettari: cosa c'è dietro?») ma anche sulla *Gazzetta di Modena*, foglio appartenente al gruppo L'Espresso e dunque sicuramente democratico. «Pur di "stoppare" il concorrente Esselunga», così cominciava l'articolo pubblicato dalla *Gazzetta di Modena* il 13 febbraio 2001, «e trasferire in posizione strategica, ampliandolo, il proprio supermercato della Sacca, la Coop ha pagato un terreno a peso d'oro, sborsando addirittura 18 miliardi in più rispetto alla stima fatta dai periti. Una società di Coop Estense ha "sfilato" l'area al concorrente, Edilmontanari, per 23 miliardi. Ha pagato quattro volte il valore di stima un'area pur di impedire l'apertura di un concorrente "scomodo" come Esselunga» *(allegato 4)*.

Divenuta proprietaria di questa porzione minoritaria del comparto, Coop rimise in discussione il Piano particolareggiato che era in avanzata via di sviluppo, pretendendo che nella ripartizione delle funzioni e degli edifici le venisse attribuito il supermercato. Esso era originariamente progettato sul lato opposto del comparto, sulla strada e ben visibile al pubblico *(si veda ancora l'allegato 3)*.

Questo originò una serie di incontri con i funzionari del Comune di Modena ed anche, da parte mia, con l'assessore all'Urbanistica, signora Palma Costi. È costei una donna di mezza età, magra, cortese, irremovibile. Di scuola inconfondibile. Con calma olimpica può ripetere all'infinito il medesimo ritornello: «L'unica soluzione per voi è un accordo con Coop». Dandoci un sublime esempio di scuola democratica, ci ha anche offerto, in alternativa, due posizioni indecenti, là in campagna, in fregio ad una cascina, per insediarvi un'Esselunga in cambio di quella di via Canaletto, da cedersi a Coop.

Per chi non lo sapesse, va anche detto che, secondo la legge italiana, chi controlla il 75% di un comparto (o più del 75%, naturalmente) può portare avanti il progetto imponendo la propria soluzione a chi è minoritario, pur nel rispetto dei suoi diritti edificatorii. Noi, col Comune di Modena, facciamo l'82%. *Ça va sans dire*, nulla si muove o si muoverà senza il benestare democratico di Coop.

E così a Modena in via Canaletto stanno, con una vasta area abbandonata, 50 miliardi di lire sborsati da anni, il blocco della ristrutturazione di un pezzo centrale della città e, probabilmente, la mancata realizzazione di case popolari che il Comune aveva in progetto.

Vignola e Spilamberto

Vignola è una ridente cittadina in provincia di Modena, ai piedi dell'Appennino, famosa per le sue ciliegie e per il suo castello. A Vignola avevamo – abbiamo – un amico, il cavaliere del lavoro Ermanno Fabbri, inventore e produttore di fama mondiale di macchine per l'imballaggio di prodotti deperibili quali carni, frutta, verdura. A Vignola siamo stati tante volte in questi ultimi quarant'anni e molte volte ci siamo dati da fare per piazzarvi una Esselunga. Sulla provinciale che viene da Modena. O sotto il castello. Ma abbiamo sempre trovato insormontabili difficoltà. Finché il signor Sergio Sernesi di Modena pochi anni fa non indirizzò la nostra attenzione su un terreno con destinazione agricola, ma suscettibile di essere trasformato in commerciale.

Infatti il Consiglio comunale di Vignola, con delibera del 29 aprile 2002, ne aveva deciso l'inserimento tra le "aree strategiche" per lo sviluppo della città, classificandolo come «area con destinazione commerciale e caserma dei carabinieri» (*documenti a disposizione*).

Il terreno apparteneva – attraverso la società Vignola Due – alla ICEA di Castelfranco Emilia (Modena), sulla quale domandammo informazioni al cavalier Fabbri. Egli ci disse che si trattava di una cooperativa edilizia comunista accreditata ed attendibile. Così, con compromesso del 23 luglio 2003 e con versamento di una caparra di 5.324.000 euro, ci impegnammo in questa intrapresa.

Fra le altre "aree strategiche" del Comune vi era anche quella destinata ad un nuovo complesso scolastico. Onde facilitare il percorso per la trasformazione urbanistica del terreno di nostro interesse – da destinazione agricola a commerciale, come detto – ICEA propose (come spesso si fa, la chiamano "urbanistica contrattata") al Comune un "accordo di pianificazione", in base all'articolo 18 della legge regionale numero 20/2000, in virtù del quale la società medesima avrebbe versato all'amministrazione civica 2,5 milioni di euro per contribuire alla costruzione del nuovo complesso scolastico. In tal modo si sarebbe aperta la strada alla realizzazione di un supermercato con superficie totale del fabbricato di 5.000 metri quadrati.

Con delibera del 23 dicembre 2004, la Giunta comunale di Vignola, dopo aver dato atto esplicitamente che l'accordo proposto da ICEA rispondeva «all'imprescindibile interesse» dell'amministrazione, «all'interesse rilevante della comunità» ed appariva «coerente con gli obbiettivi pianificatori», conferiva mandato al sindaco ed al dirigente della Struttura di pianificazione territoriale per dare corso all'accordo stesso. Il 31 marzo 2005 l'accordo veniva definitivamente approvato dalla Giunta comunale.

L'adozione della conseguente variante al Piano regolatore generale veniva messa all'ordine del giorno del Consiglio comunale che avrebbe dovuto tenersi il successivo 8 aprile (si deve sapere che nel balletto dell'urbanistica italiana bisogna prima arrivare all'"approvazione" per poi ottenere l'"adozione").

Ma il 7 aprile 2005, Coop Estense, a firma del presidente Mario Zucchelli, inviava al sindaco di Vignola una lettera (*allegato 5*), con cui lamentava l'insufficienza del locale supermercato Coop e dichiarava la propria disponibilità, a fronte di opportunità di «sviluppo e qualificazione della presenza dell'attuale negozio», a contribuire a iniziative di pubblica utilità. In particolare, guarda un po', alla realizzazione di un edificio scolastico...

Il 7 aprile Zucchelli scriveva. Il 7 aprile il sindaco riceveva. E, prontissimo, si attivava. Per lui la lettera di Zucchelli, redatta di sicuro a più mani in sedi "democratiche", indubbiamente non fu una sorpresa. Poiché, immediatamente, l'8 aprile 2005, con impressionante contestualità, accaddero tre cose.

Alle ore 17 la Giunta di Vignola deliberò di conferire mandato al dirigente della Struttura di pianificazione territoriale ed al sindaco di valutare l'intervenuta proposta di Coop Estense.

Alle ore 20.30 il Consiglio comunale di Vignola, anziché adottare – come previsto – la variante al Piano regolatore generale per il cambio di destinazione urbanistica dell'area ICEA-Esselunga, deliberò, sempre con riferimento alla "proposta" di Coop Estense, di rinviare ogni decisione ad un ulteriore Consiglio fissato per il successivo 11 aprile.

E sempre alle ore 20.30 il Consiglio comunale di Spilamberto, Comune adiacente a Vignola, senza alcun indugio deliberò invece, con una procedura del tutto simile a quella usata a Vignola, di adottare una variante di Piano regolatore generale che consentiva a Coop Estense di realizzare un nuovo supermercato su area anch'essa di proprietà di ICEA.

Infatti, a nostra insaputa, ICEA, attraverso complesse e vantaggiose operazioni societarie (con un esborso di 1.800.000 euro per due aree di un ben più alto valore finale), era entrata in possesso di due terreni in Spilamberto di proprietà dei conti Rangoni Machiavelli, uno a destinazione agricola e l'altro a destinazione "spettacoli viaggianti" (circo, luna park, eccetera) ed aveva raggiunto un accordo con Coop Estense ed il Comune di Spilamberto per modificare la destinazione d'uso di entrambi i terreni: quello agricolo sarebbe stato trasformato in commerciale, l'altro da "spettacoli viaggianti" in edilizia residenziale!

L'11 aprile 2005 il Consiglio comunale di Vignola,

ritenuto che la proposta avanzata da Coop Estense rappresentasse «un fatto nuovo rispetto alla situazione che si era sviluppata inizialmente e maturata», decideva di ritirare la proposta di variante al Piano regolatore generale, azzerando senza alcuna motivazione ulteriore l'accordo approvato dalla Giunta. Il nostro progetto era stato affossato.

La distanza tra l'ipotizzato insediamento di Esselunga in Vignola e quello di Coop a Spilamberto è di tre minuti di automobile. La Coop di Spilamberto avrebbe avuto vita dura con una Esselunga tanto vicina!

Ma siamo lontani dall'epilogo. Stoppare l'iniziativa altrui *non sufficit*. Infatti, il 12 gennaio 2007, il "nostro" terreno di Vignola viene venduto da ICEA, a rogito del notaio Anna Maria Cesarani di Castelfranco Emilia, alla Monte Paschi Fiduciaria Spa, con sede legale a Siena, società della banca Monte dei Paschi di Siena Spa, la banca più democratica d'Italia. Consiglieri di amministrazione della medesima sono, fra l'altro, Turiddo Campaini, presidente di Unicoop Firenze, e Pierluigi Stefanini, presidente di Unipol Assicurazioni. Chi ci sia dietro questa fiduciaria è cosa che a noi non è dato sapere: se ci sarà un magistrato che avrà voglia di approfondire, forse ce lo dirà.

A tal proposito è interessante chiudere questo episodio con le dichiarazioni rese il 22 settembre 2006 a *La Repubblica* dal cavaliere del lavoro Leonardo Del Vecchio (*allegato 6*), che ha la fortuna, essendo produttore di occhiali, di non avere per concorrente quello che fu il Partito Comunista Italiano: costoro fanno tante cose, gli occhiali no, per adesso. Nella parte dell'intervista che riguarda la sua breve esperienza nei supermercati acquistati dallo Stato assieme ai Benetton per poi, alla fine, venderli ai francesi, dice fra l'altro Del Vecchio: «Trattavamo con un Comune. Concedevamo tutto quello che chiedevano: costruzione di scuole, verde pubblico, servizi sociali. Tutto a posto, eppure alla fine la licenza ci veniva negata. E in seguito il terreno se lo prendevano le Coop». Ed ancora: «Non si può rimanere immacolati nuotando in uno stagno torbido. Allora bisogna lasciare».

Noi non abbiamo lasciato. Abbiamo nuotato in uno stagno torbido, fetente. Ma, caro cavalier Del Vecchio, io le assicuro che noi siamo immacolati.

2.
PIERLUIGI STEFANINI E COOP ADRIATICA

Stella di prima grandezza nel firmamento emiliano è Pierluigi Stefanini. Nasce il 28 giugno 1953 a Sant'Agata Bolognese ed assolve la scuola dell'obbligo. Per dieci anni è operaio nella società GD della famiglia Seragnoli, leader nella produzione di macchine per l'imballaggio. Dal 1978 al 1990 è dirigente del Partito Comunista Italiano di Bologna. Diventa segretario del PCI nel 1985. Dal 1990 al 1998 è presidente di Legacoop di Bologna.

Nell'ottobre del 1988 viene nominato presidente di Coop Adriatica. È consigliere della Camera di Commercio di Bologna, della Società Aeroporti di Bologna e, fino al 2004, membro del comitato scientifico di Nomisma (società per azioni di studi economici fondata a Bologna nel 1981 da Romano Prodi, *ndr*). Oltre a ricoprire molte altre cariche, sia ora sia nel passato, in svariati enti, quali Fiera di Bologna, Banca di credito cooperativo di Bologna, Fondazione Cassa di risparmio di Bologna, Stefanini nel corso del 2006 diviene consigliere di amministrazione del Monte dei Paschi di Siena e presidente di Unipol Assicurazioni.

Bologna, via Andrea Costa

Durante la costruzione del nostro centro commerciale di Casalecchio di Reno, nel 1998, l'impresa Galotti, che lo stava realizzando, ci presentò il dottor Franco Goldoni. Era – attraverso la società A. Costa 2000 – proprietario dell'area ex Hatù di via Costa a Bologna, presso Porta Saragozza, ove un tempo si facevano ciucciotti ed altri utili "accessori" in gomma, detti appunto "goldoni". La Hatù, venduta a stranieri, si era trasferita fuori città.

L'area era molto ben posizionata e vi era consentita la realizzazione di un supermercato. Il 19 maggio 1999, Esselunga – attraverso la società Iridea – sottoscrisse un accordo per l'acquisto di quest'area e del supermercato a costruirsi (con due piani di parcheggi interrati), per un importo di 40 miliardi di lire. Il progettista e direttore dei lavori, Gianfranco Masi, noto architetto di cooperative, mostrò subito di non gradire il nostro intervento. Si oppose in ogni modo alla nostra richiesta di modificare parzialmente il progetto e di ripulire un po' la sua singolare creatura architettonica. Che, con sua soddisfazione, ora là sta a testimoniare la creatività del terzo millennio. L'architetto Masi era il professionista al quale Goldoni aveva affidato l'incarico. Come usa in Italia, ci si affida spesso ad architetti accreditati presso il potere locale.

Nel corso degli scavi, vennero alla luce dei resti archeologici (*allegati 7, 8, 9*), che il ministero dei Beni culturali, attraverso la Soprintendenza archeologica dell'Emilia Romagna, identificò come le fondazioni di un complesso rustico di età etrusca caratterizzato dalla «rarità della tipologia edilizia... di indubbio e rilevante interesse archeologico»; sarà stato certo un caso, ma questi preziosi resti etruschi si trovavano proprio al centro del futuro negozio (*allegato 10*). Il 16 novembre 1999 il ministero, a firma del direttore generale Mario Serio, ministro essendo la signora Giovanna Melandri, appose il vincolo. Non si tocca più niente. Seguirono poi gli atti di rito: notifica alla proprietà, al sindaco del Comune di Bologna, eccetera. L'impatto sull'opera a costruirsi era devastante. I parcheggi interrati irrealizzabili. La strada della rimozione con collocazione altrove dei resti archeologici ci fu detta non percorribile. Inoltre la Soprintendenza, come comunicatoci dal progettista Masi, per ben tre volte aveva chiesto che il pavimento del supermercato venisse realizzato in lastre di cristallo (*allegato 11*), in modo tale che dal negozio il pubblico potesse fruire dell'inestimabile reperto. Personale e clientela ne avrebbero goduto dall'alto, camminando, per così dire, sul vuoto.

Il 16 febbraio 2000, dopo le inutili trattative condotte da Masi e Goldoni con la Soprintendenza, di fronte a tali, insormontabili ostacoli, la società Costa scrisse a Iridea-Esselunga: «Riteniamo di dover dare per passata questa estenuante trattativa che si protrae inutilmente ormai da oltre otto mesi senza che si veda la luce di una possibile conclusione, con ingenti danni per noi». Il 17 febbraio 2000 Iridea a sua volta rispose alla società Costa: «Quella collaborazione che abbiamo sempre sperato di trovare in campo tecnico, indispensabile a qualsivoglia felice conclusione, in realtà non sussiste, e ciò porta ad ostacoli enormi per ogni prosieguo, con ogni conseguente sfinimento per noi. A fronte di ciò, dopo aver molto meditato, riteniamo cosa saggia prendere atto della Vostra decisione di interruzione di ogni trattativa, rimanendo quindi in attesa della restituzione della somma di lire 2.000.000.000 (duemiliardi) a Vostre mani».

In tal modo nel febbraio 2000 veniva consensualmente sciolto l'impegno tra Esselunga ed il dottor Franco Goldoni.

Il successivo 20 aprile il Consiglio di amministrazione di Coop Adriatica, presieduto da Pierluigi Stefanini, deliberava l'acquisto del centro commerciale di via Costa in Bologna (*documento a disposizione*), mentre 15 giorni dopo, il 5 maggio 2000, il soprintendente ai Beni archeologici dell'Emilia Romagna avrebbe comunicato il proprio parere favorevole al «recupero, restauro, trasferimento e valorizzazione dei resti antichi in altra area», come riportato nel successivo atto di acquisto, a rogito del notaio Federico Rossi in Bologna, tra Coop Adriatica ed il dottor Goldoni (*documento a disposizione*).

Vi si dice, fra l'altro: «Si premette inoltre che è stato rinvenuto, entro il perimetro nel quale sorge il complesso immobiliare, un insediamento etrusco e più precisamente quell'insediamento che insiste sull'area evidenziata con tratteggio grigio dalla planimetria e notifica di vincolo consegnati che, in copia, si allega al presente atto sotto la lettera "B", e che, conseguentemente, il ministero dei Beni culturali ha apposto – esclusivamente sulla detta area tratteggiata – il vincolo di conservazione, regolarmente trascritto a Bologna il 15 febbraio 2000 all'art. 3802 noto alle parti contraenti, vincolo circa il quale è in corso pratica di richiesta di cancellazione, a seguito di diversa allocazione dei reperti archeologici; a tal proposito, con comunicazioni Prot. N. 4861 del 5.5.2000 e Prot. N. 10964 del 4.9.2001, il

Soprintendente per i Beni archeologici dell'Emilia Romagna di Bologna ha espresso parere favorevole alla richiesta di nulla osta per il recupero, restauro, trasferimento e valorizzazione dei resti antichi in altra area. Resta ovviamente inteso che tutti gli oneri, di qualsivoglia natura, derivanti da detto progetto di ricollocamento dei reperti archeologici non potranno in alcun caso essere posti a carico degli acquirenti».

Ad un lettore distratto vorrei permettermi di far osservare: a fine febbraio Esselunga si ritira; il 20 aprile la Coop di Stefanini delibera; il 5 maggio il Soprintendente comunica di aver già dato parere favorevole. A Bologna, in via Costa, è operante dal 17 settembre 2002 un supermercato di Coop Adriatica, presidente Pierluigi Stefanini, coi suoi parcheggi interrati e senza pavimenti di cristallo.

In una gelida mattina di gennaio, un sabato, e più precisamente il 21 gennaio 2006, sono andato di persona alla ricerca dei "miei" preziosissimi reperti etruschi. Li ho trovati nella "zona verde", all'apparenza abbandonata, in fondo alla via della Nuova Certosa, a Bologna. In un recinto con la base in cemento, sovrastato da una squallida griglia zincata, stavano "valorizzati", e coperti da una plastica nera in gran parte nascosta dalle erbacce, i segni di una perduta civiltà (*allegati 12, 13 e 14*).

Gli onorevoli ministri Carlo Giovanardi e Rocco Buttiglione, quest'ultimo allora al dicastero dei Beni culturali, edotti di quanto sopra tentarono di sollevare il caso in Parlamento. Impudenti. Come siano andate a finire queste faccende politiche non lo sappiamo, pensiamo in niente. Mi sembra però interessante ricordare lo starnazzo di Coop Adriatica, la quale diffuse quella che *Il Resto del Carlino (allegato 15)* definì una «nota piccata» in cui negava ogni ipotesi di favoritismo e «qualsiasi tipo di responsabilità amministrativa».

La Coop, che liquidava la questione del nuovo supermercato come «esempio di pregiudizio politico e ideologico», si dichiarava «sorpresa dei giudizi e delle accuse diffamatorie infondate espressi da un deputato della Repubblica», cioè l'onorevole Emerenzio Barbieri (UDC), che aveva presentato una interrogazione parlamentare. Il deputato avrebbe tentato di «accreditare un'immagine distorta o addirittura illecita del mondo cooperativo e delle sue diverse espressioni».

In casa mia ho quattro sorridenti teste di Buddha cui sono proprio molto affezionato, non soltanto perché mi vengono dalla collezione di mio padre. Sono siamesi, sono in bronzo e con le loro facce di bronzo stanno a dimostrare tutta la serenità e la grazia di questi orientali. Anche in questo in Italia siamo più forti, benché meno sorridenti.

Considerazione emiliana

A questo punto, mi si consenta una considerazione tutta emiliana. Come è possibile che due personaggi di spicco, Mario Zucchelli, presidente di Coop Estense, e Pierluigi Stefanini, presidente di Coop Adriatica, nel frattempo assurti ai più alti vertici del potere economico italiano – uno consigliere d'amministrazione, l'altro presidente di Unipol Assicurazioni, ed il primo addirittura presidente di Holmo e Finsoe, che di Unipol sono le controllanti – assumano posizioni tanto spericolate?

Di primo acchito verrebbe da pensare che fossero estranei, nell'assoluta ignoranza dei fatti. Ma Zucchelli era lui, in persona, all'asta del terreno di Modena. Così come fu Stefanini a presiedere i Consigli di amministrazione di Coop Adriatica per l'affare di via Costa a Bologna.

E allora? Della loro intelligenza non si può certo dubitare. Non stanno forse lassù, nell'Olimpo del potere economico di Unipol, Coop, Montepaschi, Granarolo (con la Centrale del Latte di Milano) e tanti begli appalti e costruzioni? Com'è possibile che costoro mettano a repentaglio la loro adamantina "diversità" per silurare delle esselunghe tanto piccole, quasi insignificanti?

L'unica spiegazione plausibile a tanta sicurezza può risiedere solo nella loro appartenenza ad un partito strapotente, nella simpatia di tanti magistrati, nella distrazione di troppi giornalisti. Alla faccia della "completezza dell'informazione".

3.
TURIDDO CAMPAINI E UNICOOP FIRENZE

Turiddo Campaini è il presidente di Unicoop Firenze. Ci crede. È un asceta. Nasce il 15 ottobre 1940 a Montelupo Fiorentino. Si diploma in ragioneria. Nel 1958 viene assunto in una vetreria di Empoli. Nel 1963 entra nella Cooperativa del Popolo di Empoli e nel 1971 ne diviene presidente. Con la fusione di Coop Empoli, Coop Etruria e Toscocoop in Unicoop Firenze, nel 1973 ne assume la presidenza. Dal 1980 al 1985 è membro del Consiglio comunale di Empoli per il Partito Comunista Italiano.

È membro della giunta della Camera di Commercio di Firenze. È consigliere di amministrazione della banca Monte dei Paschi di Siena. Temporaneamente, nel 2006, dopo lo scandalo Unipol-Consorte, è stato presidente di Finsoe, la cassaforte della compagnia assicurativa.

Non ho mai conosciuto Turiddo Campaini, sebbene entrambi da una vita siamo sulla scena toscana. Io assai più modestamente. So che vive a Empoli, donde ogni giorno si reca a Firenze; che vi abita con la moglie e la mamma e che non ha figli. Dallo scorso anno – come da intervista a *La Repubblica* del 22 ottobre 2006 – so altresì che gli abbiamo procurato molte notti insonni: «Anche Campaini ha passato qualche notte insonne: e l'incubo era proprio Caprotti. "È vero. Agli inizi degli anni '60, lui costruiva i primi grandi supermercati, noi avevamo degli spaccetti. Alla fine dei '70, stavamo ingrandendoci: ma quante volte mi sono chiesto se ce l'avremmo fatta davanti alla sfida di Esselunga. Sì, notti insonni"».

Me ne dispiace, benché lo trovi anche giusto. Quante, di notti insonni, ne ha procurate lui a noi? Questo che segue è uno soltanto degli episodi.

Firenze, via Milanesi e piazza Leopoldo

Esiste in via Milanesi, una strada secondaria di Firenze, il primo supermarket della Toscana, aperto da Esselunga il 9 febbraio 1961. Da Milano a Firenze. Perché? Le licenze di commercio erano a quel tempo rilasciate dal prefetto, su parere della Camera di Commercio. Visto il successo della nuova forma di distribuzione a Milano ed il suo sorprendente effetto calmieratore sui prezzi – dal 20% al 40% in meno dei prezzi correnti – il prefetto di Firenze prese contatto con la Supermarkets Italiani e le rilasciò cinque licenze commerciali. Naturalmente, troppo innovatore, fu rimosso.

Via Milanesi fu il primo dei cinque negozi. Le varie aperture furono pesantemente osteggiate da molte forze contrarie, innanzi tutto dal sindaco della città Giorgio La Pira. «Gli incontri con le autorità si susseguirono senza risultati, soprattutto a causa della ferma opposizione esercitata dal sindaco della città fiorentina La Pira, la cui posizione politica di cattolico di sinistra lo portava a guardare con sospetto l'operazione della società italo-americana», recita a pagina 90 il libro *La spesa è uguale per tutti*[11]. Ed ancora: «La licenza pervenne al prefetto che la fece avere subito alla società, senza che ne fosse data alcuna comunicazione al sindaco. Dopo l'apertura del supermercato il 12 settembre, La Pira si recò personalmente a Roma per protestare, ma si trovò di fronte alla decisa posizione del ministro Colombo. Non restò che accettare il fatto compiuto, salvo ritardare l'apertura dei successivi due punti di vendita»[12].

A quel tempo, a Firenze, altre forze si opposero duramente all'intraprendere di Supermarkets Italiani (ora Esselunga). Per primi i comunisti e poi la CGIL. Aggiunge il volume citato: «Infuocate riunioni si tennero in Consiglio comunale, dove si verificò una violenta contrapposizione tra democristiani, che sostenevano con dati alla mano la funzione di calmiere dei prezzi esercitata dalla nuova forma di distribuzione che si risolveva in un vantaggio per tutti i consumatori, e comunisti, che accusavano il supermercato "americano" di adottare una politica di bassi prezzi solo strumentalmente, al fine di distruggere la concorrenza, per creare una situazione di monopolio di cui sarebbe stato alla lunga l'unico beneficiario»[13].

Per non parlare dei socialisti. Scriveva l'organo del

---

[11] Emanuela Scarpellini, *La spesa è uguale per tutti*, Marsilio, 2007. Il volume, la cui autrice è docente di Storia contemporanea all'Università degli Studi di Milano e alla Georgetown University di Washington DC, racconta la nascita del supermercato in Italia.

[12] *Ibid.*, pag. 92.

[13] *Ibid.*, pag. 90. Per chi volesse meglio approfondire, tale volume bene descrive, da pag. 83 in avanti, la nostra vicenda fiorentina e il suo fantastico iniziale successo.

Partito Socialista Italiano, *L'Avanti!*: «Se oggi le società di supermercati si presentano con prezzi di assoluta concorrenza, sostengono i piccoli commercianti, è perché vogliono fare piazza pulita di tutti i piccoli e medi rivenditori. A operazione conclusa, quando cioè a Milano ci saranno 50 o 100 supermercati, allora il monopolio rivelerà il suo vero volto e si rivarrà ad usura sui consumatori. Alle spalle dei supermercati vi è il capitalismo americano, italiano, olandese. Attraverso una grande operazione, esso tende a controllare, gradualmente, tutto il commercio al minuto. Saprà lo Stato intervenire al momento opportuno per impedire il "cartello alimentare"?».

Malgrado le ideologie ottocentesche che vi si contrapponevano, e gli interessi di parte, il moderno si fece strada. Faticosamente.

Fatto sta che in via Milanesi a Firenze esiste questa prima Esselunga del Centro Italia; si tratta di un piccolo negozio di 800 metri quadrati di vendita, senza un solo posto macchina per i clienti. Da un trentennio è una struttura obsoleta.

Durante gli anni '80, una fabbrica di pile, la Superpila, si trasferiva fuori città, lasciando libera, a poche centinaia di metri di distanza da via Milanesi, in piazza Leopoldo, l'area del suo vecchio stabilimento, ubicazione incomparabilmente più bella. L'area era oggetto da parte del Comune di un "Piano Urbanistico di Riqualificazione". Vi era previsto un supermercato.

Ci attivammo e nel dicembre 1988 stipulammo un compromesso coi costruttori, nuovi proprietari, per un valore di 21 miliardi di lire (*documento a disposizione*). Trascorsi sette anni e scaduto il primo compromesso, nel giugno del 1995 l'accordo fu rinnovato per l'acquisto di un supermercato ed i relativi parcheggi (oltre 400 posti macchina), chiavi in mano, al prezzo di 32 miliardi di lire. Durata del contratto: due anni (*documento a disposizione*). Tuttavia, le lungaggini delle pratiche comunali non consentirono di arrivare alla conclusione, ed alla scadenza del 30 giugno 1997 la proprietà si trovò libera da ogni impegno con noi. Ci diede 30 giorni di tempo per decidere, dicendosi tallonata da altri.

Tallonata? La trattativa si fece pesante, l'importo e le condizioni via via più difficili da accettare. Nell'incertezza, poi, di arrivare alla conclusione della pratica edilizia col Comune, incagliata da anni.

Fu così che Unicoop Firenze, società cooperativa di consumo a responsabilità limitata, forte dei suoi illimitati mezzi finanziari, il 7 agosto 1997 acquistò l'intera area nuda con i relativi diritti edificatori ad una cifra per noi impossibile: 29 miliardi di lire (*allegato 16*). Più di un milione di lire il metro cubo, più di tre volte quelli che erano i valori dell'epoca. Per realizzare poi il supermercato di oltre 4.000 metri, occorreva un investimento di altre decine di miliardi.

Noi avevamo tentato e ritentato inutilmente per nove anni. Coop nel giro di tre anni progettò ed ottenne la concessione edilizia.

A Firenze, in piazza Leopoldo, è operante una Coop. Ed Esselunga si trascina in via Milanesi col suo negozietto vecchio di quasi mezzo secolo.

Quale opportunità abbia perso Firenze, nelle persone dei suoi cittadini-consumatori, dirlo non sta certamente a me.

4.
BRUNO CORDAZZO E COOP LIGURIA

Bruno Cordazzo nasce a Chiavari il 24 giugno 1943. Dei suoi studi non è dato sapere. Ricopre diverse cariche all'interno del mondo cooperativo ligure fino a diventare, nel 1999, presidente di Coop Liguria. Nell'aprile del 2004 diventa consigliere di amministrazione di Unipol Assicurazioni. Dal settembre 2005 è consigliere di amministrazione di Holmo Spa.

Genova Rivarolo in Valpolcevera

È questo un episodio di circa vent'anni fa. Mi si potrà dunque obiettare che è un fatto vecchio, lontano. Perché tirarlo fuori con tanto ritardo? Intanto perché fra i tanti soprusi subiti, questo era allora l'unico che potessimo documentare. Poi perché è proprio la somma di questi episodi che ha determinato la mia decisione di scrivere il presente *j'accuse*. Infine perché Bruno Cordazzo, con le sue allucinanti dichiarazioni di due anni fa, contemporanee agli attacchi di un altro attore della Coop, Aldo Soldi, di cui diremo successivamente, ravvivò, rivitalizzò questo male oscuro che ci eravamo tenuti dentro: Genova Rivarolo.

Nel giugno 2005 Carrefour, la grande multinazionale francese, dopo anni di battaglie giudiziarie, ottiene dal Consiglio di Stato una sentenza ad essa favorevole a riprendere l'iter per la realizzazione di un centro commerciale a Genova.

A questa notizia, il presidente di Coop Liguria, Bruno Cordazzo, da Chiavari, con una impudenza che lascia esterrefatti, dichiara: «Quando si va in casa di altri, si chiede permesso. Se si pensa di avere dei diritti, questi vanno rivendicati con garbo; e non facendo la voce grossa, minacciando le amministrazioni locali» (*allegato 17*). Ed ancora, secondo Cordazzo, la differenza che passa tra Coop Liguria e gruppi concorrenti, in termini di presenza sul territorio, sta tutta nei rapporti con le istituzioni. «Che vanno costruiti nel tempo», sostiene, «con il dialogo, il confronto, la concertazione». Alla domanda «E la penetrazione di Coop Liguria sul territorio?», replica: «Frutto della capacità di rapportarsi con le istituzioni, non certo di favoritismi».

Esiste a Genova, in Valpolcevera, una Esselunga, ma l'insegna è Coop. Come mai?

Negli anni '80 c'era in Valbisagno una Coop: era stata una concessionaria della Kawasaki (moto giapponesi), la quale aveva avuto una parte della sua superficie dedicata alla vendita, quindi con "destinazione urbanistica" atta al commercio al dettaglio. Coop l'aveva acquistata e ne aveva fatto un supermercato.

Del pari, in Valpolcevera esisteva allora una concessionaria di autoveicoli appartenente alla società Pastore & Baldazzi il cui titolare, Gianluigi Baldazzi, era un buon conoscente del dottor Ferdinando Schiavoni, allora vicepresidente ed amministratore delegato di Esselunga, e gli propose un'operazione analoga.

Esselunga acquistò l'immobile il 15 ottobre 1984 e si impegnò nella sua trasformazione. Il Comune di Genova, che aveva dato la concessione edilizia per la ristrutturazione dell'edificio a Pastore & Baldazzi, non consentì neppure il trasferimento della concessione edilizia ad Esselunga. Ecco un estratto del telex di Baldazzi indirizzato a Schiavoni: «Durante la discussione in merito a tale progetto, su tutti i membri della commissione comunale gravavano forti condizionamenti esercitati sia verbalmente che con lettera scritta dalle Coop Liguria. Il fatto che la Esselunga venga a Genova fa letteralmente terrorizzare le cooperative che si stanno opponendo con tutte le loro forze, mezzi e cattiverie di ogni genere, al vostro insediamento. Essendo però il progetto presentato perfettamente conforme alle leggi comunali vigenti e non potendovi trovare alcun valido argomento di boicottaggio ma solo semplice e sterile demagogie è stato deciso dalla presidenza della commissione stessa di riportare il progetto in discussione mercoledì 20 giugno p.v. per la definitiva approvazione. Anche noi credevamo in una reazione delle coop senza però prevedere che la stessa potesse raggiungere tanta ferocia» (*allegato 18*).

Fu realizzato comunque l'edificio esistente, col suo pavimento in "litomarmo aureolato" grigio perla da 25 millimetri di spessore, prodotto in esclusiva per Esselunga dalla ditta Ipar, tuttora visibile. Ma l'Esselunga, là, non poté mai aprire. La stessa amministrazione comunale – non siamo in grado ora di dire nella persona di chi – disse e ribadì al dottor Schiavoni che noi lì non avremmo mai aperto.

Scrisse ancora Baldazzi a Schiavoni: «La domanda da noi presentata all'ufficio Annona di Genova (...) è andata ieri in commissione unitamente a quella da Voi presentata direttamente per lo stesso locale di via Rivarolo 59: ambedue hanno avuto esito negativo. Siamo venuti a conoscenza che dei 15 membri componenti la commissione, il rappresentante comunista della CGIL ed il rappresentante della Lega delle Cooperative sono stati gli unici due voti contrari e hanno condizionato i restanti 13 membri, i quali si sono poi astenuti dal proferire parola in merito e quindi, tacendo, hanno determinato un voto che è stato considerato negativo all'unanimità. Assurdo. Sistema mafioso. Ora la nostra pratica sarà dall'Ufficio Annona rimessa direttamente al Sindaco il quale dovrà decidere. Il Sindaco stesso in un primo momento ci assicurò di persona, in un colloquio con lui avuto, del suo favorevole interessamento al buon esito della pratica. Torneremo da lui per convincerlo dell'assurdità della vicenda in generale e del rifiuto di concederci la licenza in particolare, anche se è facilmente intuibile che lo stesso Sindaco si sia lasciato prevaricare dalle coop e dal partito comunista. In questa squallida vicenda, emblema di coloro che ci amministrano, l'unica nota positiva è data dal rifiuto di esprimere un parere negativo da parte dei componenti del consiglio di quartiere; infatti questi, avendo a capo il sig. Cassissa, comunista, ma galantuomo, non ha potuto esprimere un voto favorevole come sarebbe stato suo desiderio, del suo vice e di quasi tutti i membri del consiglio stesso, perché il partito glielo ha vietato. Noi avremmo l'intenzione di ricorrere al Tar assistiti da uno dei migliori civilisti di Genova: l'Avv. Professore Pericu Giuseppe» (*allegato 19*).

A ristrutturazione dell'immobile compiuta, dopo una resistenza di due-tre anni, Schiavoni mi convinse a rinunciare, a passare la mano. Nelle trattative che seguirono con Coop Liguria, questa insistette perché noi rinunciassimo anche al nostro progetto sull'area ex Bocciardo, posizione prestigiosa, ai piedi della Valbisagno. Scriveva Schiavoni a Cordazzo in una lettera del 30 marzo 1988: «... costantemente informato e dei colloqui e delle ulteriori vostre richieste in aggiunta alla cessione Baldazzi: rinuncia Bocciardo, subentro Proget. Cos'altro? (...) Così come ho detto per telefono a Barberini[14], credo sia indispensabile incontrarsi...» (*allegato 20*).

Il 5 aprile Cordazzo così rispondeva a Schiavoni: «Fin dal primo incontro con Lei manifestai il nostro interesse all'operazione immobiliare ex Baldazzi se e in quanto collegabile (nelle forme meglio viste) all'operazione Bocciardo: con il dott. Corte abbiamo cercato di esplicitare "le forme meglio viste" non raggiungendo ancora un'ipotesi concreta e giuridicamente sostenibile» (*allegato 21*).

Il 3 aprile 1989 il dottor Schiavoni sottoscrisse un compromesso per la vendita a Coop Liguria dell'immobile esistente, al puro costo (*documento a disposizione*). Coop venne subito immessa nel possesso della cosa compravenduta, un anno prima del rogito, in modo da non perdere tempo (*allegato 22*).

Il 30 marzo 1990, a rogito notaio Sciello in Genova (*documento a disposizione*), la proprietà fu trasferita a Coop, con atto di vendita sottoscritto da Paolo De

---

[14] Ivano Barberini era, in quel periodo, presidente dell'Associazione Nazionale Cooperative di Consumatori, ANCC.

Gennis, tuttora presente in qualità di vicepresidente di Esselunga. Egli può testimoniare che in occasione del rogito gli fu sottoposta una dichiarazione che lui avrebbe dovuto sottoscrivere e che ci impegnava a non prendere altre iniziative in Liguria. De Gennis rifiutò.

Coop aprì quel supermercato nel mese successivo. Di licenza di commercio, detta "Tabella VIII", per Esselunga non se ne parlava proprio. Come Coop la chiese, la ottenne al solito fulmineamente.

Non abbiamo mai reso di pubblico dominio questo sopruso, ma le dichiarazioni del presidente di Coop Liguria sopra riportate ci hanno indotto a testimoniare un inconfutabile concerto.

Vogliamo, solo per la cronaca, ricordare che, nella circostanza, l'assistenza legale ci fu prestata dall'avvocato Giuseppe Pericu. Nel nostro caso non ebbe gran successo. Successivamente divenne sindaco di Genova ed in tale qualità, contestualmente a Cordazzo, dichiarava: «Il Comune deve saper scegliere tutelando prioritariamente le esigenze di un equilibrato e corretto sviluppo urbanistico, contemperando gli interessi dei vari soggetti in campo e l'interesse pubblico, il territorio della città non può essere considerato luogo di ricezione passiva, amorfa, di interessi privati. D'altra parte si tratta di interessi privati che spesso dispongono di efficaci strumenti di persuasione» (*vedere ancora allegato 17*).

Interessi privati? Non siamo avvocati ma l'espressione «interessi privati in atti d'ufficio» non ci è nuova. Escluso espressamente ogni riferimento alla sua persona.

Il corollario

Ho lasciato all'ultimo posto l'episodio di Genova anche perché, così, è più agevole chiudere andando a vedere che cosa succede nella regione ove la Coop del presidente Cordazzo, così bravo, come vedremo, a fare propaganda politica, è riuscita a tenere fuori – data la sua capacità di «rapportarsi con le istituzioni» – ogni valido concorrente.

All'inizio del 2006, avendo in programma l'apertura di un nostro negozio a La Spezia, abbiamo incaricato una qualificata società francese di rilevare lo stato del mercato in Liguria, raffrontato con altre piazze. Lo abbiamo fatto due volte. Il risultato è stato sorprendente. In quella regione il livello dei prezzi praticato dalla Coop è mediamente più alto (di una percentuale variabile tra l'8,3 ed il 20,2) che nelle altre piazze monitorate. In due tavole sinottiche (*allegati 23 e 24*) diamo conto della situazione delle due rilevazioni eseguite: la prima nel febbraio 2006, la seconda nell'aprile successivo.

Mi permetto di esporre più prosaicamente il concetto espresso da Geminello Alvi nella sua prefazione a proposito della concorrenza nel nostro settore, ove dice che è "di prossimità". Più terra terra, come si esplica dunque la concorrenza nel commercio al dettaglio? Dove si è presenti (ecco la "prossimità"), si sviluppa come in ogni altra attività economica: prezzi, qualità, assortimento, livello di servizio, pubblicità, fidelizzazione, eccetera. Ma se la strada è sbarrata, e di entrare a Genova, Livorno o Modena non se ne parla neppure, lì ci sarà poco da concorrere, né ora né per il futuro.

E allora questa non è più una "distorsione della concorrenza". Questa è una "distorsione permanente della concorrenza", una "distorsione del territorio". Di più, mi sia consentito: la distorsione di una intera repubblica. I cooperatori toscani chiamano questa *malpractice* "controllo del territorio", e lo sbandierano. Lo sbandierano nelle loro assemblee, lo dichiaro agli impresari, ai costruttori, ai quali è impedito di fare con noi normalissimi affari.

L'ulteriore conseguenza è, ad esempio, che alla fin fine l'operatore Cordazzo usa la sua posizione per un qualcosa che di commerciale, di servizio, di sociale ha ben poco. Di politico tanto, come si evince da una lettera del 4 aprile 2006 (*allegato 25*) inviata a tutto il "suo" personale nell'imminenza delle elezioni politiche. E fa sorridere che egli scriva che «occorre una politica fiscale che combatta l'evasione, l'economia sommersa, eccetera», lui che, per decenni, ha operato senza tasse, senza dare il minimo contributo alla collettività, approfittando dei servizi – sicurezza, scuole, strade, giustizia e quant'altro – semplicemente a sbafo[15]. E col ministro dell'Economia in carica che dichiara al *Corriere della Sera*, il 10 giugno 2007: «Le tasse sono una delle migliori espressioni della convivenza pacifica» (forse Padoa Schioppa voleva dire «convivenza civile»).

Se almeno prezzi, qualità, freschezza fossero a posto! Ma le visite che faccio al "mio" scippato negozio di Genova Rivarolo, o a La Spezia, o altrove in Liguria mi danno i brividi. E, piaccia o non piaccia a Cordazzo, lo dichiaro pubblicamente.

---

[15] In Italia il *taxpayer*, il pagatore di tasse, è detto tecnicamente "contribuente". Se contribuente non è, cos'è? È un Cordazzo.

5.
ALDO SOLDI E ANCC

Aldo Soldi nasce a Piombino il 25 novembre 1951. Si iscrive al Partito Comunista Italiano nel 1972. Inizia la sua vita di lavoro nel 1974 come impiegato del Comune di Piombino. Si laurea in scienze politiche a Siena nel 1975. Sempre nel 1975, a 24 anni, entra a far parte del Consiglio di amministrazione della Coop «La Proletaria» di Piombino (poi Coop Tirreno, poi Coop Toscana Lazio, infine Unicoop Tirreno).

Viene eletto consigliere comunale di San Vincenzo (Livorno) nelle file del Partito Comunista Italiano e lo sarà per tre mandati. Diventa segretario di una delle due sezioni PCI di San Vincenzo. Via via, in Coop, è dirigente, direttore delle relazioni esterne, direttore del personale, vicepresidente. Infine, nel 1999, assume la presidenza della cooperativa che, nel frattempo, ha cambiato più volte nome.

Nel 2004 assurge alla presidenza dell'Associazione Nazionale Cooperative Consumatori (ANCC-Coop) ed è qui che lo incontriamo. Non di persona, fortunatamente.

Come mai?

Questo non è un episodio di bassa cucina come i precedenti. Qui siamo nell'alta finanza, nella politica. Addirittura nei palazzi del potere. La cosa si alza enormemente di livello. Infatti costoro si muovono tanto in alto che, ormai, quando festeggiano un loro anniversario, lo fanno al Quirinale, quasi fossero una istituzione dello Stato. L'ultima volta, il 15 gennaio 2007, Giuliano Poletti, il grande presidente di Legacoop, ha brindato con Giorgio Napolitano (*allegati 26 e 27*).

È così che noi, che eravamo quasi caduti nell'abisso, veniamo catapultati da Soldi lassù, poiché lui riesce a fare di noi, Esselunga, un caso nazionale. Come mai, che cosa era successo? Tenterò di essere sintetico, esemplificativo.

Nell'estate del 2003, allarmato da troppi segnali, da fornitori, amici, clienti, volsi uno sguardo indietro e dovetti constatare che l'azienda era nei guai.

Col pretesto della *job rotation*, una direzione del personale senza scrupoli, d'accordo con una "serpe" – dirigente incaricato della gestione di tutti i prodotti deperibili – alla quale si era dato potere di vita e di morte, accantonava, spintonava, scacciava persone validissime: vecchi che avevano costruito l'azienda assieme a giovani gagliardi che dal nuovo corso dissentivano. Espressione più usata: «Farlo fuori». Talché ai vertici di settori nevralgici l'azienda si ritrovava con individui di alta incompetenza.

Direttori marketing che con l'*e-commerce* riuscivano a perdere 60 miliardi di lire l'anno, incapaci di scendere sul campo dell'operativo e dei costi, erano in auge. E nella ridda di stupide e dozzinali promozioni commerciali arrivarono a mettere, centrale, sulla pagina pubblicitaria per Pasqua, l'immagine di rotoli di carta igienica in offerta speciale. In quell'occasione Marco Testa mi chiamò e mi disse: «Abbiamo passato il segno, roba così non si può più tollerare». Sull'annuncio c'era la firma della sua agenzia, della Armando Testa, i suoi impiegati lo avevano impaginato.

Un oscuro – in ogni senso – giornalista pubblicista siciliano, sedicente esperto, consulente in Esselunga a mia insaputa da cinque anni, aveva letteralmente sovvertito la nostra rete di vendita, una nostra specificità: quell'ingranaggio, per così dire, che è la leva prima della nostra *performance* quotidiana.

Non funzionava più niente.

In amministrazione, il responsabile aveva sottoscritto contratti "derivativi", in quel linguaggio inglese della finanza che neppure conosceva, che ci costarono anch'essi una sessantina di miliardi di lire.

Un famoso ricercatore di mercato, incaricato di fare per noi la solita "ricerca motivazionale", riuscì a "venderci" la tesi – poiché pure lo pagammo – che i clienti, i consumatori, si dividono in due grandi categorie: i "supermarkettisti", che badano alla qualità e trascurano – addirittura non ricordano – i prezzi, e gli "ipermarkettisti", per i quali il prezzo è tutto. Secondo questo "ricercatore", la clientela di Esselunga sarebbe "supermarkettista".

È così che trovai un'azienda che non monitorava più la concorrenza; contavano soltanto i prezzi di pochi articoli centrali, che so, la solita Barilla, il resto non aveva importanza. Se ne era fatto un credo, una verità rivelata. Avevamo sugli scaffali l'Argentil a oltre 5 euro, il 30% in più rispetto a tutti i concorrenti, anche i più scassati, che l'avevano a 4. Eravamo diventati l'azienda più cara del Paese, onusta di costi, consulenti, riunioni. Una pacchia per la concorrenza, alla quale avevamo lasciato uno spazio enorme.

Liberarsi di questo ciarpame manageriale fu facile. I primi li caricammo, in una bella mattina del gennaio 2004, su delle Mercedes blu, con autista, una per ciascuno. Una cosa dignitosa. Anzi, di riguardo. Gli altri uscirono alla spicciolata e solo dopo, dalla documentazione rimasta, ebbimo la conferma e le prove di chi fossero alcuni di loro. Con uno sforzo enorme ricostruimmo l'azienda. Alcuni quarantenni, trentenni, tornarono. Altri furono promossi. Poi – fu solo fortuna? – nuove validissime figure entrarono a far parte della squadra. Oggi è una squadra eccezionale.

Ma nel mio grandissimo dolore, nella fatica immane, nell'estate 2004 fui colpito da una grave malattia, la più grave della mia vita, ed in ottobre, assente da tre mesi, quando ripresi un po' il mio lavoro, ero l'ombra di me stesso.

Questa spiacevole digressione è necessaria per capire il fatto. Un'azienda in crisi, un vecchio che deve lasciare, un seguito – si pensa – che non c'è: quale più facile preda? Anche gli "stranieri", visto che già lo fanno costantemente, si interessavano al mercato italiano.

Fatto sta che le voci, oggi li chiamano *rumours* (chissà perché; è come il *board*, i Consigli di amministrazione non esistono più) ci bersagliavano da ogni parte. Attorno al vecchio animale ferito l'assedio delle iene si fece insopportabile. Con una strumentale "notizia" quotidiana per farci apparire "venduti", data da una stampa irresponsabile. O forse da una stampa manovrata ad arte da chi ne ha il controllo. Condurre l'azienda in tale incertezza divenne molto, molto duro. E doloroso.

Anche Coop, allarmata dalle "notizie" di una vendita a stranieri, si agitò. E furono le pubbliche, ripetute dichiarazioni del presidente dell'ANCC, Aldo Soldi, a metterci proprio in piazza. E ad accreditare in alto loco la tesi che il passaggio dell'azienda in mano straniera sarebbe stato una catastrofe per l'agricoltura e per l'alimentare italiano.

Qualche esempio:

Aldo Soldi
presidente dell'Associazione nazionale cooperative consumatori:

«Oltre a noi, credo che debba essere preoccupata la nostra produzione nazionale che è fatta in gran parte di piccole e medie aziende. (...) I gruppi stranieri traggono la loro forza dal fatto di fare accordi su scala mondiale» (*Corriere della Sera*).

«Ci sentiamo in diritto-dovere di comprare Esselunga. E ci siamo candidati ufficialmente» (*Panorama Economy*).

«Il sistema produttivo italiano, specie quello agroalimentare che è fatto di piccole e medie imprese, rischia di essere tagliato fuori. Non siamo preoccupati della concorrenza ma per le ricadute negative proprio nella produzione» (*L'Espresso*).

«La distribuzione ha un impatto diretto sulle piccole e medie imprese nazionali. Nel senso che un supermercato straniero tenderà a vendere prodotti stranieri» (*Corriere della Sera*).

«Una possibile vendita di Esselunga a Tesco (...) creerebbe problemi non a Coop ma alla piccola e media distribuzione del Paese» (*Corriere della Sera*).

Pierluigi Bersani
responsabile economico dei DS:
«Io credo che il sistema amministrativo abbia anche delle leve in mano. Così come il governo (...) di sicuro, nessuno entra in un mercato a dispetto della sua classe dirigente, politica, economica» (*L'Unità*).

Cesare Geronzi
presidente di istituti bancari:
«Ha mai fatto una visita al bancone di Auchan in Italia? Vada, vada di persona, guardi quanti sono i prodotti francesi esposti e quanti quelli italiani[16]. Mi dicono che Caprotti voglia vendere, guai a perdere Esselunga, deve rimanere in mani italiane. Mi sono spiegato?» (*Panorama Economy*).

Paolo De Castro
ministro delle Politiche agricole, di provenienza Nomisma:
«Il rischio è che un supermercato straniero tenda a vendere prodotti stranieri oppure che strangoli i fornitori (cioè le piccole aziende agricole locali)» (*Corriere della Sera*).

Vincenzo Tassinari
presidente di Coop Italia, intimidatorio:
«Se (...) Esselunga dovesse essere l'ennesima impre-

---

[16] Una ricerca condotta nel settembre 2006 da Panel International sui prodotti alimentari francesi di marca ha rilevato che la loro incidenza sugli assortimenti del Largo Consumo Confezionato è pressoché identica nei distributori italiani e francesi presenti in Italia, cioè: Carrefour 2,94%, Auchan 2,93%, Esselunga 2,87%, G.S. 2,84% (*documento a disposizione*).

sa che finisce in mani straniere, allora non manchere-mo di far sentire di nuovo la nostra voce (...)» (*Consumatori Coop*).

Ma chi poteva toccare l'apice? Romano Prodi. Fra un attimo lo vedremo.

Va premesso che se da un lato – attaccati in questo modo da costoro nonché da giornalisti e sfrontati finanzieri – ci trovammo soli, chiusi nel nostro angolo, dall'altro avevamo fatto un gran bel lavoro. E ricostruito l'azienda sia nella sua componente umana sia nei metodi e processi. Ed il progetto al quale avevo dedicato gli ultimi quindici anni del mio lavoro, il sogno lungamente accarezzato prendeva ormai decisamente corpo con l'apertura di una serie di sfavillanti superstores. Così avevo chiamato – adottando la dizione squisitamente *british* – questi grandi negozi ad alta specializzazione alimentare, che avrebbero portato Esselunga di nuovo in testa nella competizione della distribuzione al dettaglio italiana.

Nel marzo 2005 eravamo pronti, avevamo anche ripulito negozi, assortimenti e fornitori. Demmo battaglia: battaglia commerciale, questa volta. Giù i prezzi! La clientela, tanta era ormai perduta, rispose gradualmente. All'inizio, nel fatturato, rimase soltanto il buco di un ribasso di prezzi senza precedenti. Alcuni fra di noi ebbero, siamo franchi, paura. Io non un giorno. La macchina era pronta, il mercato era lì, in attesa. E con l'inizio dell'autunno cominciò il divertimento. La macchina iniziò a esprimere tutto il rendimento per il quale era stata disegnata, il motore "prese i giri". Esselunga tornava in pista, tornava ad essere «Esselunga prezzi corti» (*allegato 28*).

Ed eccoti Romano Prodi, che inopinatamente, il 7 febbraio 2006, durante una puntata di *Porta a porta*, non richiesto enuncia in campagna elettorale l'obbligo per il governo – quale che fosse, evidentemente – di «mettere insieme» Coop ed Esselunga. In qualche modo: quale, non si sa. Dice così: «Abbiamo le Coop, c'è ancora l'Esselunga». E, all'incalzare di Bruno Vespa, continua: il governo «le può mettere assieme, può aiutarle (...) a fare una politica perché stiano assieme» (*allegato 29*).

A Prodi devo molto. Infatti, in quel periodo per me tristissimo, avevo avuto qualche cedimento. Di fronte all'incalzare di Coop ed al caldo sostegno di miei legali per una vendita a Coop – proprio nell'estate 2005 – qualche interrogativo me lo ero posto. Mi dicevo: Esselunga è così robusta che costoro, se la prendono, a demolirla ci mettono sette o otto anni; o forse, appropriandosi delle sue tecnologie e dei suoi metodi, se non del suo spirito, magari la utilizzano per imparare, per clonare.

Così, quando "il professore" se ne uscì in Tv nel modo sopra detto, a parte il disgusto per l'indelicatezza, decisi di chiedere a 220 persone dell'azienda, dirigenti e quadri, che cosa pensassero di un'eventuale cessione a Coop. Precisai che rispondere non era obbligatorio. Soltanto sei non risposero. Ma quali risposte ho avuto!

E grazie a Prodi ho capito: loro, la mia gente, e non solo quelli che passano tanto del loro tempo nei negozi nostri ed in quelli della concorrenza, mi hanno illuminato. Ed ho poi trascorso molti sabati dell'altra primavera a visitare negozi Coop – non che già non li conoscessi – per cercare di capire meglio ancora, come facevo quarant'anni fa quando andavo a Mosca o a Berlino.

Ne sono uscito vaccinato. Vi ho anche portato con me qualche santone dell'italico pensiero, di quelli che tranciano giudizi ma la trincea non l'hanno mai vista. Siamo in Italia, mica in America, sul campo non si scende. Soltanto carta, e tavole rotonde.

Esselunga, intanto, era diventata sempre più efficiente, addirittura effervescente. E ho capito Soldi ed i suoi adepti. Poiché è opinabile che Coop possa tener testa ad una concorrenza performante. Dietro tutta la loro propaganda, sta la paura di non essere all'altezza ed il tentativo di trovare delle vie di fuga: farmaci, benzina, telefonini, energia. Hanno ragione. Il meno che si possa dire, in americano, è che sono dei *poor operators*. Non temiamo querele. Possiamo dimostrarlo numeri alla mano.

Sabato 9 giugno 2007 abbiamo partecipato come soci all'assemblea di Unicoop Firenze per l'approvazione del bilancio 2006.

Divenire membri di questo club non comporta difficili *qualifications*, come dicono gli inglesi. Né quattro quarti di nobiltà, né grandi gesta in battaglia. Neppure l'eccellenza nelle professioni o nell'impresa. Assolutamente niente, è più o meno come andare a prendere una pizza.

Così, abbiamo presenziato. Nel nuovo, grandioso teatro Saschall di Firenze, ci saranno state 1.500 persone, una percentuale minima di partecipanti sul milione di soci di Unicoop Firenze. Un pubblico vetero, vetero in tutto. Di età, di appartenenza, di fede. Antica. Un pubblico di credenti. Pochi i giovani presenti.

Nell'applauso dei fedeli abbiamo annotato questi dati:

Soci: 1 milione.
Vendite: 2 miliardi.
Utile: 25 milioni.
"Prestito sociale" [17]: 2 miliardi e 700 milioni, diciamo 5.200 miliardi di lire di una volta, raccolti dai soci consumatori, come una vera e propria banca. Una cassa enorme, liberamente spendibile.

Anche all'occhio del più sprovveduto, appare subito l'esiguità dell'utile. È chiaro che se non ci fossero i proventi finanziari del "prestito sociale", il bilancio andrebbe drammaticamente in perdita.

E allora?

Se questa stortura tutta italiana, il "prestito sociale" – il Paese di storture vive, d'accordo – venisse meno? Come prima o poi ineluttabilmente accadrà?

I miei compagni di avventura non so. Ma io, vecchio di tante esperienze fiorentine, sono stato colto da un dubbio: che Turiddo Campaini sia tornato a passare qualche notte insonne? Come nel bel tempo andato?

Mi riferisco alle sue dichiarazioni a *La Repubblica* dell'autunno scorso (*allegato 30*), quando assicurava che per causa nostra non chiudeva occhio.

Perché allora sarebbe chiaro, lampante ciò che inspiegabilmente sta accadendo, dopo tanto tempo, in Esselunga e particolarmente in Toscana, ed il contestuale battage giornalistico.

Da almeno tre mesi, dall'aprile 2007, siamo in "agitazione". "Agitazione" pretestuosa, soprattutto in Toscana. Però, per il sabato di Pasqua, 7 aprile 2007, è stato dichiarato uno sciopero in tutta l'Esselunga.

---

[17] Nell'appendice, a pagina 172, il "prestito sociale" viene illustrato propriamente.

Diamo fastidio. Ed allora che cosa c'è di più facile e di più naturale, per una "parrocchia" che è parte di un organismo tanto articolato, tanto pervadente, di chiedere una mano all'altra "parrocchia"? Non è forse della stessa "chiesa"?

Con una stampa compiacente che propaganda alla Goebbels l'"agitazione" su 4 colonne, ed annuncia un nuovo sciopero per un sabato a venire, che poi non riuscirà per mancanza di adesioni? Tra decine di articoli, ne presentiamo un paio:

Il Tirreno: «Esselunga, sciopero e tensione. Volantinaggio di lavoratori, arrivano i carabinieri» *(allegato 31).*

La Nazione: «Braccio di ferro all'Esselunga. Proseguono gli scioperi e le assemblee» *(allegato 32).*

Roba di vecchia data, roba da *Pravda*. Certo, come minimo, c'è da restare interdetti. Ancora? Dopo 20, 30 anni?

Eppure: Turiddo non dorme, i sindacati si agitano, la stampa ci sguazza *(documenti a disposizione).*

E noi possiamo solo ringraziare per la sua perspicacia il caro, insostituibile compagno di tante giornate di caccia, di tante albe vissute nei supermercati, l'amico di tanti anni, il prezioso collaboratore, Ferdinando Schiavoni. Lui aveva capito.

RICONOSCIMENTO

Al termine di questa parziale ma documentata esposizione, riteniamo di dover riconoscere che, fra questi "diversi", questi "democratici", abbiamo incontrato, nella pubblica amministrazione, molte persone normali. A Castellanza (Varese), a Castelletto Ticino (Novara), ad Asti, a Viareggio, a Camaiore... Di ciò diamo atto con piacere. Con queste persone corrette, leali, capaci, anche simpatiche, abbiamo lavorato nel reciproco rispetto e nell'interesse delle comunità e dell'impresa. Che, con i suoi 17.000 addetti, 4 milioni di clienti, migliaia di fornitori – e le sue brave tasse – della comunità è parte.

A loro ed a tanti altri un grazie sincero.

Tutti noi di Esselunga

Limito, giugno 2007

Estratto di mappa attuale
l'indicazione dei contorni delle proprietà originali

— Acquisto da Liliana Segre - mq. 192.377

— Acquisto da Comune di Modena - mq. 78.389

Fabbricato attuale:
- costruito su area ex signora Segre mq 15.050 (circa 32%)
- costruito su area ex Comune mq 31.395 (circa 68%)

Allegato 2

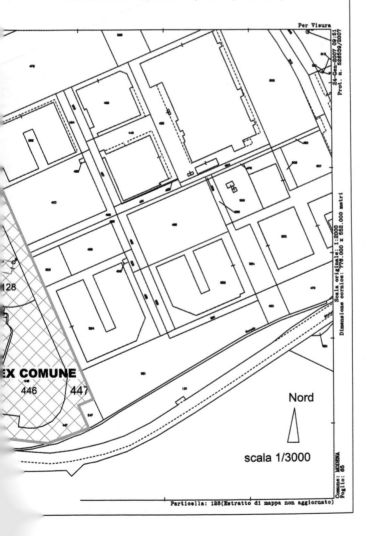

Nord

scala 1/3000

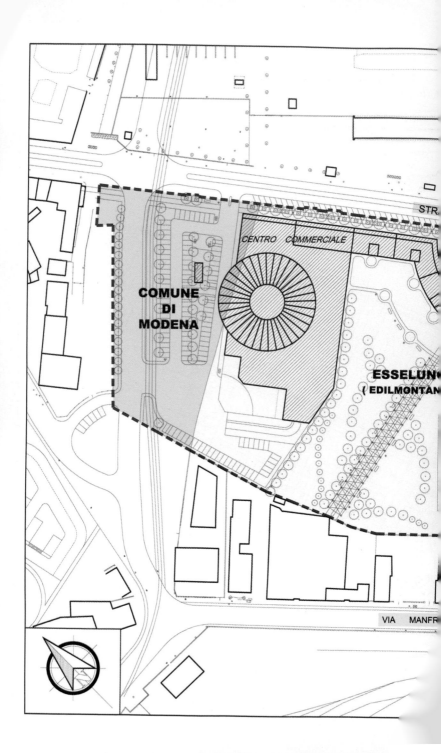

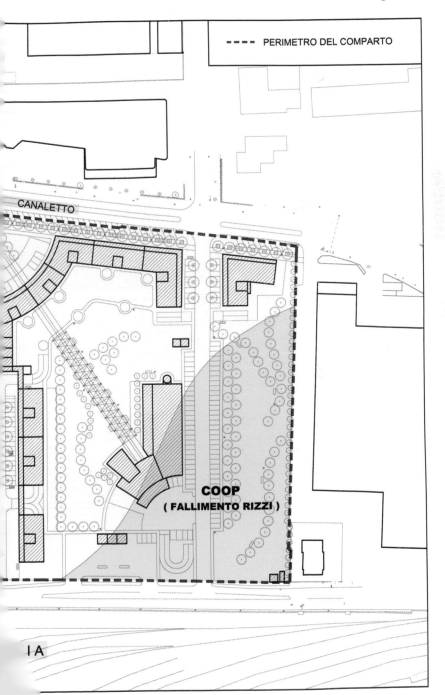

PERIMETRO DEL COMPARTO

CANALETTO

COOP
(FALLIMENTO RIZZI)

I A

'Stoppare' Esselunga costa 18 miliardi in più

La Coop paga 23 miliardi un'area stimata 5 per trasferirci il proprio mark[...]

Pur di «stoppare» il concorrente Esselunga e trasferire in posizione strategica, ampliandolo, il proprio supermercato della Sacca, la Coop ha pagato un terreno a peso d'oro, sborsando addirittura 18 miliardi in più rispetto alla stima fatta dei periti. Per l'area ex Officine Rizzi di via Fanti, alle spalle dell'ex Consorzio Agrario, i periti del tribunale avevano fatto una stima di 5 miliardi e 150 milioni. Una società di Coop Estense ha «sfilato» l'area al concorrente, Edilmontanari, per 23 miliardi e 300 milioni.

In sostanza, la Coop ha pagato quattro volte il valore di stima su un'area pur di impedire l'apertura di un concorrente «scomodo» come Esselunga e, soprattutto, per assicurarsi la possibilità di trasferire e ingrandire l'ormai obsoleto market di via Canaletto. Conquistando una postazione strategica, destinata nei prossimi anni a «esplodere» grazie alla costruzione di centinaia di alloggi e nuovi servizi.

PRIMO ROUND KO. Per comprendere fino in fondo quanto è successo l'altro giorno in tribunale bisogna fare un passo indietro di qualche mese. Quando, cioè, Edilmontanari riesce ad aggiudicarsi, sempre all'asta, la vicina area dell'ex Consorzio Agrario: 44mila mq di superficie, pagati 17 miliardi e mezzo.

Visto che nel Piano regolatore quella è l'unica zona in città dove si può realizzare un nuovo centro di vicinato (cioè un supermercato da 1.500 mq di superficie di vendita) la compra, accordandosi poi con il gruppo milanese Esselunga.

La Coop, cui l'acquisto sfugge per un soffio, la prende malissimo: quell'area era fondamentale per potervi trasferire la Coop Canaletto, ormai «schiacciata» in una zona di difficile accesso e poco funzionale, e per di più «cancellata»

dal Prg. Questo significa che la Coop, per potersi ampliare e apportare anche la minima modifica al negozio di via Canaletto, deve per forza trasferirsi altrove. E l'unica possibilità è, appunto, l'area del Consorzio Agrario, sfuggita per un soffio.

LA «VENDETTA». Mentre Edilmontanari stringe un accordo con Esselunga (e questa parte addirittura con la selezione del personale per il nuovo punto-vendita), la Coop medita la «vendetta».

L'occasione si presenta, puntuale, giovedì scorso quando il giudice fallimentare Bruschetta mette all'asta l'area delle ex Officine Rizzi di via Fanti. Un appezzamento di 8.800 mq di cui 5.000 edificabili, adiacente l'ex Consorzio Agrario. Stima dei periti, 5 miliardi e 150 milioni. Coop partecipa all'asta con tre diverse società, il quarto concorrente è Edilmontanari che cerca così di «completare l'opera».

A TUTTI I COSTI. Ma è subito chiaro che la Coop non ha alcuna intenzione di mollare. Ex-Consorzio e Rizzi formano, insieme, un unico comparto edificatorio del progetto di recupero della Fascia Ferroviaria, al cui interno si possono costruire 150 appartamenti, un albergo, negozi, un ristorante e - soprattutto - il famoso supermercato. Uno so-

L'ingresso delle ex Officine Rizzk, in via Fanti

lo. Acquistando il Consorzio, Edilmontanari ha ottenuto una quota di edificabilità nel comparto del 72%, ma non basta per avere il «via libera» al market. Così la Coop, pur di sfilargli la quota rimanente della Rizzi, mette mano al portafogli, senza badare a spese. A continui rialzi da 100 milioni ciascuno, arriverà a pagare un «conto» da 23 miliardi e 300 milioni per 8.800 metri quadrati (l'area del Consorzio, cinque volte più ampia, è costata 6 miliardi in meno). Esulta il curatore fallimentare della Rizzi: mai avrebbero immaginato di portare a casa una cifra simile.

FUORI MERCATO. Un prezzo assurdo, lontano dal mercato. E infatti Edilmontanari si ritira, masticando amaro. Nessun costruttore potrebbe pagare quasi 4 milioni al mq un'area (quella attigua dell'ex Consorzio è costata quasi un decimo). A meno che non ci sia un «valore aggiunto»:

quello di bloccare l'apertu[...] di un concorrente, Esselun[...] appunto.

A parità di richiesta di co[...] cessione per l'unico supe[...] mercato previsto, infatti, vi[...] cerebbe la Coop perché il tr[...] sferimento di una licenza gi[...] esistente è titolo preferenzi[...] le, per il Comune, rispetto a[...] l'apertura di un nuovo pun[...] vendita.

Ma le cose non sono co[...] semplici. E' vero, Coop Este[...] se oggi come oggi ha «blocc[...] to» Esselunga ed ha conqu[...] stato l'unico terreno dove te[...] ricamente può trasferire [...] «vecchia» Coop Canalett[...] Ma è anche vero, trattan[...] dosi di un unico comparto, soggetti proprietari (Edilmo[...] tanari al 72%, Coop Estens[...] al 17%, Comune al 10% circ[...] devono in qualche modo tro[...] vare un accordo. Se quest[...] non arriva, l'intero compart[...] resta bloccato. Coop e Edi[...] montanari dovranno quindi a[...] rivare a una decisione. Qua[...] le, è difficile dire. (r.q.)

Coop Estense

41010 Freto Modena
Viale Virgilio 20
Telefono 059-892232
Telefax 059-848654

Egr. Signor Sindaco
Del Comune di Vignola
Roberto Adani

Modena, 7 aprile 2005

La fortissima crescita della base sociale di Coop Estense (che nel distretto vignolese ha superato i 25.000 soci) e del consenso dei consumatori, negli ultimi anni hanno determinato una crescente insufficienza della attuale struttura a erogare un servizio adeguato. Per queste ragioni il Consiglio di Amministrazione e il Comitato Distrettuale dei Soci di Coop Estense hanno valutato la necessità di uno sviluppo e di una qualificazione della presenza dell'attuale negozio. Con tale mandato, da tempo si sono avanzate queste esigenze all'Amministrazione Comunale, analizzando potenziali opportunità e trovando informali consensi. In quegli incontri la cooperativa ha ripetutamente dichiarato la propria disponibilità a partecipare al sostegno di iniziative di utilità per la comunità locale, in particolare una consistente contribuzione economica alla costruzione di un edificio scolastico. Per tutto questo e su tali basi si avanza ufficialmente all'Amministrazione del Comune di Vignola la disponibilità e l'impegno di Coop Estense a sostenere unitamente al proprio sviluppo anche quello di un rilevante contributo alla costruzione della scuola in oggetto.

Disponibile come ripetutamente già dichiarato, in ogni momento, ad affrontare con Codesta Amministrazione le modalità attraverso le quali si possono conciliare lo sviluppo economico del territorio, lo sviluppo di Coop Estense e la soddisfazione del bisogno culturale suddetto restiamo in attesa di un pronto riscontro e cordialmente salutiamo.

Il Presidente
Mario Zucchelli

ESTENSE
egale
Modena, Viale Virgilio,20
delle Imprese CCIAA Modena n. 858

DENTE

"Imprenditori senza coraggio preferiscono rendite e ville"

Del Vecchio: ma il made in Italy che rischia ha un futuro

r avendo no-
oprio impe-
delegato che
si, Leonardo
ersi "godere
ionare l'in-
nino per lan-
della sua re-
egozi desti-
la entro po-
a Dongguan
ha tremila
otto milioni
no. Del Vec-
egli uomini
reti — d'Ita-
nel design,
ione di oc-

nizio un'ori...
miliardi di e...
4% delle ven...
sul mercato
scommessa r...
na? Il Guang...
stretto mone
soppianta il ...
brica 300 mili
li all'anno.
«Infatti noi
anni, prima ...
anche come ...
capito che l'it...
l'inizio degli ...
andati in Ame...
realizzavamo
...o l'Ameri...
...front...
in ...

NON COMPRAI TELECOM
*Mi proposero di acquistarle
al doppio di ciò che valgono
ora. Ho detto: scordatevelo.
Quando si compra a prezzi
esagerati l'azienda si rovina*

VINCEVANO SEMPRE LE COOP
*L'avventura nella Sme?
Trattavamo con i Comuni
per avere le licenze dei
supermercati, ma alla fine
vincevano sempre le Coop*

PRE...
Il presid...
del gruppo
Luxottica,
Leonardo Del
Vecchio, nel
disegno di
Manne...

va sulla tra-
lorsa ameri-
p Enron. In
o di quotar-
mente, i suoi
ti per capire
.' in nome di
mercato che
invito a en-
Tronchetti e
offrirono di
on loro. «Si
titoli Tele-
quotazione
ai raggiunto
o di quel che
datevelo. E'
po si avvera
pra a prezzi
ze sono de-
nda stessa.
no offerto
quello di ri-
la gestione
orità di tipo
triale. E poi
ina una de-
ttano i con-

o paura che
nduta all'e-

degna e nella rendi-
ta finanziaria. Poi c'è
la malattia dell'indi-
vidualismo. Ricordo
ancora quando ero sul
punto di acquistare un
mio concorrente:
sembrava d'accordo
su tutto, all'ultimo
momento ci ripensò
perché preferiva essere numero uno di un'azienda più piccola anziché partner o azionista di un
gruppo molto più grande. Non è
con una cultura di questo tipo che
si costruisce la Unilever».
    Lei ha avuto un'avventura nella
"diversificazione" che l'ha portata
a contatto con le grandi imprese
dei servizi, e ha potuto osservare
alcuni intrecci fra lo Stato e l'economia. Fu quando acquistò la Sme
insieme ai Benetton. Che ricordo
conserva?

«Fu un affare finanziario, con-
cluso cinque anni dopo con la cessione ai francesi della Carrefour.
Sia io che Benetton eravamo giunti
alla conclusione che non volevamo
dedicarci a un'attività in cui bisogna continuamente negoziare con
i Comuni le licenze di costruzione
degli ipermercati, i permessi per il
cambio di uso dei terreni. Succede-
va che per due, tre anni trattavamo
con un Comune. Concedevamo
tutto quello che chiedevano: costruzione di scuole, verde pubblico, servizi sociali. Tutto a posto, eppure alla fine la licenza ci veniva
negata. E in seguito il terreno se lo
prendevano le Coop. Noi non abbiamo mai voluto scendere sul terreno dei rapporti con la politica. Ma
non si può rimanere immacolati
nuotando in uno stagno torbido.
Allora bisogna lasciare».

CRESCITA IN ITALIA E I... CINA
*Vi dimostro che si p...
aumentare la produzion...
entrambi i Paesi. In Cina ...
siamo già da 10 anni, in
Italia resterà l'alta qualità*

Allegato 7

Allegato 8

Allegato 9

Allegato 10

Ministero per i Beni e le Attività Culturali

Soprintendenza Archeologica dell'Emilia Romagna

Bologna, 2.8.1999

Ogg.: BOLOGNA, via Andrea Costa, ex area ICO Hatù.
Relazione sull'interesse archeologico dell'area comprendente i resti di un
complesso edilizio rustico di età etrusca.

Nel settore centrale dell'area in oggetto sono stati individuati importanti resti strutturali
antichi a seguito di una serie di sondaggi archeologici e di uno scavo estensivo condotto con
criteri stratigrafici.

Le strutture antiche consistono in tracciati murari con fondazioni in ciottoli fluviali e in
pezzame laterizio, che descrivono la planimetria di un edificio di forma rettangolare allungata,
suddiviso in più vani allineati in ordinata sequenza, dotato di area cortilizia e di apprestamenti
lavorativi e infrastrutturali accessori (piccola fornace per fittili, localizzate platee di ciottoli,
fossato idrico).

Nel complesso i resti sono attribuibili ad un edificio rustico di tipo residenziale e
produttivo, risalente al V-IV sec. a.C., ubicato nel suburbio occidentale di Bologna etrusca
(Felsina).

La leggibilità e la conservazione delle tracce strutturali, la rarità della tipologia edilizia,
il valore archeologico-documentario del complesso insediativo, di indubbio rilevante interesse
archeologico, rendono dunque opportuno che il sito sia adeguatamente tutelato, tramite
l'apposizione di un vincolo ai sensi della l. n. 1089/1939.

l'Archeologo dott. Jacopo Ortalli

Per copia conforme
IL COLLABORATORE AMMINISTRATIVO

IL SOPRINTENDENTE
Dott. Mirella Marini Calvani

ROMA lì 16 NOV. 1999

IL DIRETTORE GENERALE
Dr. M. Serio

OTT. ARCH. GIANFRANCO MASI - 40134 BOLOGNA - VIA ANDREA COSTA 165 - TEL. 051 436489 (3 linee r.a.) - FAX 051 437037 - E-mail masigia

Bologna, 28 Gennaio 2000

Trasmissione via fax
al nr. 02/92.67.202

Spett.le
IRIDEA srl
Alla c.a. Egr. Ing. Eugenio Kannes

Trasmissione via fax   e p.c.
al nr. 051/26.39.02

Spett.le
A. COSTA 2000 SRL.
Alla c.a. Egr. Dr. Franco Goldoni

Oggetto: CANTIERE A. COSTA 2000 (BOLOGNA)

Cerco di fare un pò d'ordine e perciò ribadisco i punti fermi raggiunti ad oggi:

1) Le fondazioni saranno a piastra. Su di esse ho da predisporre attacchi e fosse per ascensori, scale fisse e mobili, rampe, pilastri, muri, fognature degli ambienti, ecc.. Sarò costretto a fare delle scelte più in funzione di soluzioni oggi approvate perchè i tempi di consegna esecutivi datimi dall'Impresa sono già scaduti.

2) Il reperto archeologico sarà mantenuto in essere così come è e sarà contornato da muro al 2° interrato e sarà in vista, visitabile, al 1° interrato. Le anticipo che la Soprintendenza ai Beni Archeologici dell'Emilia Romagna ha, per la 3ª volta, fatto cenno a "vista dal piano terra" con protesta mia e del Dr. Franco Goldoni stesso

3) Conseguenza della voce 2) penso sia una rivisitazione dei Vs. schemi di comparti garage. A sua volta, questa riclaborazione penso porterà a modifiche nei punti esposti al punto 1).
Attendo Vs. soluzione-garage nuova con reperto archeologico inscrito.

4) Ho guardato i disegni che Lei mi ha portato il giorno 12/01 u.s..
Ho segnato su di essi i punti che per me sono da sottoporre a Lei per ragioni che vanno dalla richiesta di eliminazione a quella di variazione. Prenderemo un appuntamento via telefono perchè più veloce. Penso che sarebbe meglio vederci con la nuova soluzione "Etrusca".

5) Riscontro Sua lettera del 21/01 u.s. e rispondo anche a questa per punti:
5.1) valuterò con i tecnici specialistici le Vs. nuove centrali come posizione e dimensione, come da lei suggerito. Le esporrò eventuali inconvenienti.
5.2) E' l'A.COSTA 2000 che dovrà decidere sul mantenimento o meno di ventilatori sul sottotetto Corpo "A" perchè è la Proprietà che ha imposto la scelta del "trasloco" globale. Per principio non vuole servitù sul Residence.

CODICE FISCALE MSAGFR31P7A944H   PARTITA IVA 00578540379

Coop Adriatica: «L'operazione Andrea Costa è alla luce del sole»

Coop Adriatica al contrattacco. Tirata in ballo nei giorni scorsi dall'Udc a Montecitorio sulla vicenda di un presunto via libera illecito alla costruzione di un supermercato concesso dalla Sovrintendenza, la cooperativa che fa a capo a Pierluigi Stefanini (ora anche al vertice di Unipol), nega ogni ipotesi di favoritismo e «qualsiasi tipo di responsabilità amministrativa». Soprattutto, con una nota piccata, Coop Adriatica sposta l'intera questione sul piano politico. Prima si dichiara infatti «sorpresa dei giudizi e delle accuse diffamatorie infondate espressi da un deputato della Repubblica». Si tratta del casiniano Emerenzio Barbieri, autore di un'interrogazione al ministro dei Beni culturali, Rocco Buttiglione. Coop Adriatica liquida tutta la questione non solo come «esempio di pregiudizio politico e ideologico», ma anche «del tentativo di accreditare un'immagine distorta o addirittura illecita del mondo cooperativo e delle sue diverse espressioni».

Il colosso cooperativo ricostruisce anche la storia del supermercato di Bologna, nato nel 2000 in via Andrea Costa, con un ok della Sovrintendenza, e che è sorto su un terreno sottoposto a vincoli di tutela. Secondo la versione fornita da Barbieri in aula, la stessa Sovrintendenza avrebbe prima impedito a un privato di costruire, «opponendo vincoli formidabili», per poi cambiare parere a beneficio di Coop Adriatica».

La cooperativa ricorda invece di aver acquistato da un privato (l'imprenditore Franco Goldoni) «un edificio 'chiavi in mano' dove in seguito ha aperto un supermercato e una galleria commerciale». Ma la Coop precisa di «non aver avuto alcun ruolo nell'iter delle autorizzazioni urbanistiche, commerciali e amministrative, ne' nei rapporti con la Sovrintendenza, che sono di esclusiva competenza e responsabilita' del costruttore». Inoltre, «l'immobile in questione, di 7 mila metri quadrati e la porzione di parcheggio annesso acquistati fanno parte di un piu' vasto piano edilizio", che comprende un intero complesso "che si trova nella ex area Halùleo, dove sorgeva l'omonima fabbrica fondata dalla famiglia Goldoni». Infine, Coop Adriatica puntualizza di aver soltanto acquistato la porzione di immobile «in forza di un contratto preliminare di acquisto siglato nel 2000 con la Andrea Costa 2000, di proprietà di Goldoni.

Allegato 16

PRELIMINARE DI VENDITA

Repubblica Italiana

L'anno millenovecentonovantasette, il giorno sette del mese di Agosto

in Firenze, Piazza del Lungo n° 1, ⸺⸺⸺⸺⸺⸺⸺

avanti a me, **Gabriele Carresi**, notaio in Borgo San Lorenzo, iscritto

al ruolo dei distretti notarili riuniti di Firenze, Pistoia e Prato,

rinunciando le parti d'accordo e col mio consenso alla assistenza di

testimoni, sono comparsi: ⸺⸺⸺⸺⸺⸺⸺⸺⸺⸺

la società "IMMOBILIARE LEOPOLDO S.p.a." con sede in Firenze

Via Jacopo Nardi n. 2 iscritta presso il Registro delle Imprese di

Firenze al n. 49988, Capitale lit. 5.000.000.000=, Cod. Fisc. e P.I.

03955520485, in persona del suo Presidente e come tale legale

rappresentante Sig. Geom. Walter Cappelli, nato a Firenze il

02/11/1927 e residente per la carica presso la sede della società,

attualmente e statutariamente munito di tutti i poteri per la stipulazione

del presente atto, ed autorizzato con delibera del Consiglio di

Amministrazione del 01/08/1997, che in estratto da me notaio

autenticato, si allega al presente atto sotto lettera A), omessane lettura

per volontà delle Parti, da una parte, chiamata in prosieguo anche

"promittente venditrice" ⸺⸺⸺⸺⸺⸺⸺⸺⸺⸺

⸺⸺⸺⸺⸺⸺ e ⸺⸺⸺⸺⸺⸺

"Unicoop-Firenze" Società Cooperativa di Consumo a responsabilità

limitata" con sede in Firenze, Via Santa Reparata n° 43, iscritta al n°

440 Tribunale di Firenze nel Registro delle Imprese presso la Camera

Art. 2

2.1. La promittente la vendita come sopra costituita promette di vendere alla promittente l'acquisto che accetta e promette di acquistare la proprietà immobiliare così come descritta al punto I) della premessa.

2.2. I beni vengono promessi in vendita a corpo e non a misura ed accettati nello stato di fatto attuale (e cioè con i fabbricati ivi un tempo esistenti quasi completamente demoliti) che la parte promittente l'acquisto dichiara di ben conoscere con le servitù attive ma libero da servitù passive anche apparenti, anche non trascritte, con i diritti ragioni azioni inerenti così come pervenuti alla promittente e con i vincoli tutti discendenti dal Piano di Riqualificazione Urbana così come presentato ed in seguito modificato, che prevede secondo gli ultimi progetti da presentarsi a cura della parte promittente la vendita all'Amministrazione Comunale entro il 31.08.1997 la volumetria complessiva di circa mc. 36.840 così suddivisi: circa mc. 16.576 per supermercato alimentare (con superficie di circa mq. 4.144); circa mc. 12.374 per edilizia residenziale / direzionale / commerciale privata; circa mc. 7.890 per edilizia pubblica oltre a complessivi mq. 17.000 circa da destinare a parcheggio di cui mq. 12.800 circa per parcheggio privato (parte del quale insisterà al di sotto del verde pubblico di superficie da cedere alla Pubblica Amministrazione) e circa mq. 4.200 per parcheggio pubblico.

Art. 3

3.1. Quale corrispettivo della cessione dei beni immobiliari di cui al presente atto viene tra le parti pattuito il prezzo di lit. 29.000.000.000=

5

Il presidente Cordazzo interviene sul caso aperto dalla Carrefour che ha vinto il ricorso al Consiglio di Stato

«Noi favoriti? Sappiamo dialogare»

Il numero uno Coop: quando si va in casa d'altri, si chiede permesso

«Quando si va a casa d'altri, si chiede permesso. Se si pensa di avere dei diritti, questi vanno rivendicati con garbo, e non facendo la voce grossa, minacciando le amministrazioni locali. Parola di Bruno Cordazzo, presidente di Coop Liguria, ieri, a margine della presentazione dell'assemblea dei delegati delle cooperative dei consumatori della Liguria, Cordazzo ha commentato l'ultimo braccio di ferro tra amministrazione comunale e grande distribuzione organizzata.

Il riferimento è alla sentenza del Consiglio di Stato, che, ribaltando la prima decisione del Tar, ha accolto il ricorso di Carrefour e giudicato illegittima la procedura con la quale il Comune ha valutato (e bocciato) un progetto — Bisogna fare...

Secondo Cordazzo, la differenza che passa tra Coop Liguria e i gruppi concorrenti, in termini di presenza sul territorio, sta tutta nei rapporti con le istituzioni. «Che variano costruiti nel tempo — sostiene — con il dialogo, il confronto, la concertazione».

La concorrenza insinua che Coop abbia la vita facile: «Abbiamo il quattordici per cento del mercato. Non vedo cosa ci sia di monopolistico o oligopolistico in questa quota. Concorrenti? Se ne trovano tanti venditi, non uno». Coop Liguria ha quattro ipermercati. La concorrenza nessuno: «Ci sono voluti vent'anni per costruire questi quattro ipermercati. Il rapporto con le istituzioni va curato nel tempo».

Il pluralismo è la democrazia del sistema economico. «Ma — avverte Cordazzo — se perdiamo l'autonomia sulla gestione delle reti, distributiva compresa, perdiamo l'autonomia economica».

L'ex area della Continentale italiana, a Fegino, dove dovrebbe sorgere il grande centro commerciale di Carrefour

LA REPLICA DEL COLOSSO FRANCESE

«Lui considera la città cosa sua»

«Prendo atto che Cordazzo considera cosa nostra Genova. In effetti è cosa sua, visto che la Coop controlla in città il 93 per cento del mercato della media e grande distribuzione». Flavio Fasano, legale dell'immobiliare Gamma, braccio operativo di Carrefour sotto la Lanterna, ribatte con parole di fuoco alle dichiarazioni del presidente di Coop Liguria. Bruno Cordazzo. Il quale ha criticato la presunta invadenza di «certi gruppi stranieri» che, invece, di «chiedere permesso» quando entrano in casa d'altri, fanno la «voce grossa». Giocando sull'assonanza tra «casa» e «coop», Fasano si scaglia contro «il monopolio della coop, che a Genova controlla il 93 per cento del mercato o sottolinea, da parte di Carrefour, il "massimo rispetto" nei confronti della legge e di una città dalle grandi tradizioni». «Quel 14 per cento sbandierato da Cordazzo come quota di mercato Coop — insiste Fasano — si riferisce all'intera regione, non certo alla grande distribuzione genovese». Smentisce i vertici di Carrefour, della società Gamma e delle controllate Collegno 2000 illustreranno alla città il progetto del centro commerciale con parco urbano previsto nell'area di cui il Comune prevedeva un uso anche commerciale. La questione solleva dunque ha poco a che vedere con il parere...

Gilda Ferrari

---

la LETTERA DEL SINDACO

«Ma le scelte urbanistiche competono agli amministratori»

GIUSEPPE PERICU

Caro direttore,

Ci rilevo con piacere che il Suo giornale ha seguito e sta seguendo alcune vicende cittadine caratterizzate da un contenzioso in cui il Comune è coinvolto e di cui la magistratura amministrativa si occupa, messa alcune precisazioni a seguito valutazione da parte mia, all'unico fine di fornire ai lettori del Secolo XIX un'informazione la più corretta e esauriente possibile.

Innanzitutto c'è una questione "quantitativa". Da alcuni tempi (la "sconfitta" di Tursi, l'urbanistica bocciata", ecc.) si potrebbe evincere l'esistenza di una "patologia" nella frequenza di giudizi negativi del magistrato amministrativo sulle procedure e deliberazioni dell'amministrazione comunale.

Non è così. Dal dati in nostro possesso, raffrontati a quelli di altri grandi comuni italiani, risulta che i casi di contenzioso per il Comune di Genova sono del tutto nella norma, mentre gli esiti negativi sono la netta minoranza. Ad esempio, nel 2004 le sentenze favorevoli al Comune di Genova in materia amministrativa sono state 117 e quelle contrarie 28, mentre le sentenze favorevoli al Comune di Genova in materia edilizia e urbanistica pubblicata nel 2004/2005 risultano essere 40 mentre quelle contrarie sono 10.

Aggiunge che per un corretto giudizio in questa materia non semplice bisogna avere ben presente il fatto che le decisioni della Pubblica amministrazione, in campo urbanistico come in altri settori, sono il frutto di procedimenti assai complessa, che coinvolgono le assemblee democratiche, l'esecutivo, e in grande misura le competenze tecniche dei vari uffici, nei contesto di quadri normativi spesso ardui e mutevoli. L'intervento del magistrato amministrativo può rilevare vizi di procedura giustificati non dei tutti conformi, e questo avviene con una carta frequenza proprio in ragione della complessità del procedimento.

Ma vediamo più nel merito due delle vicende urbanistiche più rilevanti di cui si è occupato il Secolo XIX.

Il caso Panorama, che il "vizio" di forma rilevato dal Tar era relativo al fatto che la Regione Liguria aveva modificato d'ufficio (non per alcun parere) il Piano regolatore genovese, destinando a insediamenti collegati il porto area di cui il Comune prevedeva un uso anche commerciale...

...del Comune sul progetto di cui si parla, ma per quel "vizio" il magistrato amministrativo ha ritenuto che si dovesse riaprire il contraddittorio con i soggetti interessati.

Il caso Carrefour. Gli uffici comunali hanno ritenuto che non ci fossero i presupposti per il passaggio alla conferenza dei servizi, in quanto la valutazione di merito sul rapporto tra interesse pubblico e privato erano per il Comune chiaramente negative, ed io stesso ho formalizzato tali valutazioni. Oggi le magistratura amministrativa ritiene che, malgrado questo, sia necessario comunque una ulteriore fase di approfondimento con le altre amministrazioni interessate (Regione, Provincia ecc.), ed è evidente che questo approfondimento sarà fatto.

Il punto che mi piace riaffermare, però, è il seguente. Certamente un procedimento diverso può portare, in linea di massima, a conclusioni diverse. Ma in ogni caso le scelte in campo urbanistico competono all'Amministrazione comunale, e solo ad essa. Alla magistratura amministrativa compete il controllo della correttezza delle procedure, con l'indicazione di eventuali vizi formali.

Il Comune deve saper scegliere tutelando prioritariamente le esigenze di un equilibrato e corretto sviluppo urbanistico, contemperando gli interessi dei vari soggetti in gioco e l'interesse pubblico. Il territorio della città non può essere considerato luogo di ricorso ne passivo, amorfo, di interessi privati. D'altra parte si tratta di interessi privati che pure divengono quelli strumenti di persuasione. È del tutto legittimo e opportuno, naturalmente, che l'informazione si apra ai punti di vista diversi da quelli che di volta in volta rappresenta l'Amministrazione comunale, che si allarga in interpretazione, appunto; lo stesso, un altro comune. Vorrei solo contribuire, per quanto mi compete, a far si che ogni cittadino possa farsi l'opinione più esauriente sul contenuto di merito che riguardano aspetti importanti per tutta la città.

Sindaco di Genova

Ringraziamo il sindaco di Genova per l'opportunità che offre all'informazione di occuparsi anche dei punti di vista diversi da quelli del Comune e che sul Secolo XIX trovano spazio soltanto quando «usano» come strumento di persuasione gli unici in grado di interessare davvero i nostri lettori: i fatti e le notizie. (R.Dn.)

14/06 15.45 ✠
330177 SUPER I

271036 PIEBI I

ALLA CORTESE ATTENZIONE DEL DOTTOR SCHIAVONI
===

NELLA GIORNATA DI IERI 13 GIUGNO E' STATO ESAMINATO DALLA COMMIS-
SIONE EDILIZIA DEL COMUNE DI GENOVA, IL PROGETTO PRESENTATO DAL-
L'ING. BOLGE' PER L'APPROVAZIONE DELL'ESECUZIONE DEI LAVORI NE-
CESSARI PER RENDERE IDONEI ALLE VOSTRE ESIGENZE I LOCALI OGGETTO
DELL'ATTO FRA NOI STIPULATO IN DATA 9 GENNAIO 1984.
DURANTE LA DISCUSSIONE IN MERITO A TALE PROGETTO SU TUTTI I MEM-
BRI DELLA COMMISSIONE COMUNALE GRAVAVANO FORTI CONDIZIONAMENTI E-
SERCITATI SIA VERBALMENTE CHE CON LETTERA SCRITTA DALLE COOP LI-
GURIA.
IL FATTO CHE LA ESSELUNGA VENGA A GENOVA FA LETTERALMENTE TERRO-
RIZZARE LE COOPERATIVE CHE SI STANNO OPPONENDO CON TUTTE LE LORO
FORZE , MEZZI E CATTIVERIE DI OGNI GENERE, AL VOSTRO INSEDIAMEN-
TO.
ESSENDO PERO' IL PROGETTO PRESENTATO PERFETTAMENTE CONFORME ALLE
LEGGI COMUNALI VIGENTI E NON POTENDOVI TROVARE ALCUN VALIDO ARGO-
MENTO DI BOICOTTAGGIO MA SOLO SEMPLICE E STERILE DEMAGOGIE E'
STATO DECISO DALLA PRESIDENZA DELLA COMMISSION STESSA DI RIPORTA-
RE IL PROGETTO IN DISCUSSIONE MERCOLEDI' 20 GIUGNO P.V. PER LA
DEFINITIVA APPROVAZIONE.
ANCHE NOI CREDEVAMO IN UNA REAZIONE DELLE COOP SENZA PERO' PREVE-
DERE CHE LA STESSA POTESSE RAGGIUNGERE TANTA FEROCIA.
TANTO VI DOVEVAMO PER TENERVI DEBITAMENTE INFORMATI E COGLIAMO LA
OCCASIONE PER INVIARVI DISTINTI SALUTI.

                        PASTORE E BALDAZZI S.P.A.
                        (L'AMMINISTRATORE UNICO)

                            BALDAZZI GIAN LUIGI

271036 PIEBI I✠

Allegato 19

pb

PASTORE & BALDAZZI
VEICOLI INDUSTRIALI

16161 GENOVA · Via Rivarolo 57 · Tel. 010/448841, 5 linee · Telex: 271036 · PIEBI-I

CONCESSIONARIA

FIAT (OM)

veicoli industriali

carrelli elevatori

E S P R E S S O

Spett.le

ESSELUNGA S.p.A.
Via Boschetti, 6

20100 - M I L A N O

| Vs. rif. | Ns. rif. GLB/ab | Genova, li 16 febbraio 1984 |

Alla cortese attenzione del Sig. V.Presidente e Amministratore Delegato Dr.
Ferdinando SCHIAVONI.

E' nostro desiderio tenerVi costantemente informati circa l'iter della domanda da noi presentata all'Ufficio Annona di Genova in data 27 ottobre 1983, delegato il Rag. Flavio Sasso e della quale Voi avete copia.

Tale domanda é andata ieri in commissione unitamente a quella da Voi presentata direttamente per lo stesso locale di via Rivarolo 59: ambedue hanno avuto esito negativo.

Siamo venuti a conoscenza che dei 15 membri componenti la commissione, il rappresentante comunista della C.G.I.L. ed il rappresentante delle COOP, sono stati gli unici due voti contrari ed hanno condizionato i restanti 13 membri della commissione i quali si sono poi astenuti dal proferire parola in merito e quindi, tacendo, hanno determinato un voto che é stato considerato negativo all'unanimità. Assurdo. Sistema mafioso.

Ora la nostra pratica sarà dall'Ufficio Annona rimessa direttamente al Sindaco il quale dovrà decidere al riguardo; il Sindaco stesso in un primo momento ci assicurò di persona, in un colloquio con lui avuto, del suo favorevole interessamento al buon esito della pratica.

Data l'attuale situazione, prima che sia presa dal Sindaco una decisione definitiva, torneremo da lui per convincerlo dell'assurdità della vicenda in generale e del rifiuto di concederci la licenza in particolare, anche se é facilmente intuibile che lo stesso Sindaco si sia lasciato prevaricare dalle COOP e dal partito comunista.

./.

Vendita e assistenza Autocarri - Carrelli Elevatori - Ricambi Originali - Montaggio Ralle
Portacontainers - Rimorchi e Semirimorchi - Allestimenti - Trasformazioni - Attrezzature
S.p.A. c.s. 200.000.000 I.v. Reg. Trib. Ge n. 28200 C.C.I.A. Genova 206539 C.F. 00884890104

In questa squallida vicenda, emblema di coloro che ci amministrano, l'unica nota positiva é data dal rifiuto di esprimere un parere negativo da parte dei componenti del consiglio di quartiere; infatti questi avendo a capo il Sig. Cassissa, comunista, ma galantuomo, non ha potuto esprimere un voto favorevole come sarebbe stato suo desiderio, del suo vice e di quasi tutti i membri del consiglio stesso, perché il partito glielo ha vietato; é stato fatto ciò che poteva essere l'unica loro prerogativa e cioé rifiutarsi per ben due volte di mandare il parere del quartiere.

Noi, dopo il colloquio con il Sindaco, che sin da ora riteniamo non darà alcun risultato positivo, avremmo l'intenzione di ricorrere al T.A.R. assistiti da uno dei migliori civilisti di Genova: l'Avv. Professore PERICU Giuseppe. Desidereremmo però prima avere un incontro con Voi al fine di ricevere i giusti consigli che il caso richiede onde proseguire sulla stessa strada intrapresa per poter raggiungere il fine comune: l'ottenimento della licenza tabella ottava.

L'occasione ci é gradita per inviarVi cordiali e distinti saluti.

Pastore & Baldazzi S.p.A.

esselunga s.p.a.
20090 Limito (Milano)

Egregio Signor
BRUNO CORDAZZO

Limito ....30 marzo 1988............

Presidente

Vostro rif. ....

Associazione Regionale
Cooperative Consumatori

Nostro rif. ......D.I.R.FSd.am.........................

Via Brigata Liguria, 105/R

16121 GENOVA

Riservata/Personale

Caro Signor Cordazzo,

Il Dott. Corte mi ha costantemente informato
e dei colloqui e delle ulteriori vostre richieste
in aggiunta alla cessione Baldazzi: rinuncia Bocciardo, subentro Proget. Cos'altro?

E' a causa di questa escalation che
ieri in Consiglio di Amministrazione, pur cercando
di spiegare la vostra iniziativa, non ho potuto
fornire una proposta finale.

Così come ho detto per telefono a Barberini,
credo sia indispensabile incontrarci per la
definizione dell'ultima spiaggia!

Molti cordiali saluti.

(Ferdinando Schiavoni)

ESSELUNGA®

tel. 92367 (ricerca automatica) • telegrammi: esselu limito • telex: super 330177 • codice fiscale 01255720169 • partita iva 04916380159 • c.c.i.a.a. milano 1063068
aut. trib. milano 200539 - capitale sociale 5.780.000.000 - sede legale: via boschetti 6 - milano

LEGA NAZIONALE DELLE COOPERATIVE E MUTUE

ASSOCIAZIONE REGIONALE COOPERATIVE TRA CONSUMATORI DELLA LIGURIA

onale
perative
utue

t. N.   54/cc BC/mp

16121 Genova, ...5 Aprile 1988.....
Via Brigata Liguria, 105 r. - Tel. 531041

getto :

esselunga s.p.a.

- 7 APR. 1988

R

Egregio
Dott. Ferdinando Schiavoni
Vice Presidente e Amministratore
Delegato della
Esselunga S.p.A.
20090 Limito [Milano]

Egr. Dott. Schiavoni,

mi auguro che quando riceverà questa mia
sarà perfettamente ripreso dalle conseguenze dell'incidente occorsoLe
e di cui ho avuto notizia dal reciproco amico Dott. Sergio Melley.

Interpretando lo spirito della Sua del 30/3. Le confermo il nostro
interesse a incontrarci al più presto per definire i contenuti economici
e generali dell'auspicato accordo.

Mi preme ribadirLe che fin dal primo incontro con Lei manifestai
il nostro interesse all'operazione immobiliare ex Baldazzi se e in
quanto collegabile (nelle forme meglio viste) all'operazione Bocciardo:
con il Dott. Corte abbiamo cercato di esplicitare "le forme meglio
viste" non raggiungendo ancora un'ipotesi concreta e giuridicamente
sostenibile.

Certo che con il prossimo incontro si possano definire più compiuta-
mente i termini dell'accordo rimango in attesa di una Sua telefonata
per fissarne la data.

Cordiali saluti.

Il Presidente ARCC/Liguria
(Bruno Cordazzo)

Allegato 22

16011 ARENZANO (GE)
Via Val Lerone 30
Telefono (010) 9110961/9110971/9111691
Telex 273862 COOPLG I
Telefax (010) 9112452
CCIAA Savona 20181 Y
Tribunale di Savona 1127
Cod. Fisc. e Part. IVA 00103220091

Protocollo n.

1022 MP/sc
Arenzano

14 Aprile 1989

1 9 APR. 1989

RACCOMANDATA R.R.
ESPRESSO

Gentile Signor
DOTTOR CARLO ALBERTO CORTE RAPPIS
c/o ESSELUNGA S.p.A.

20090 LIMITO - MILANO

Oggetto: Trasmissione contratto.

Allegato alla presente ci pregiamo inviare copia del contratto preliminare di compravendita tra noi stipulato in data 3.4.1989 e debitamente registrato in Savona il successivo 6.4.1989.

Come da Vostra richiesta Vi specifichiamo che la fideiussione consegnataci il 3.4.1989 a garanzia del primo acconto Vi verrà restituita non appena si saranno concluse le reciproche obbligazioni, così come accadrà per le successive.

Altresì siamo a richiederVi la consegna delle chiavi dell'immobile così come specificatoVi nel nostro incontro presso la Vostra sede di Milano.

In attesa di un cortese cenno di riscontro soprattutto per la consegna delle chiavi porgiamo i nostri migliori saluti.

La Segreteria Legale
(Mauro Pinelli)

Allegato nr. 1

fronto prezzi articoli in comune tra Esselunga Milano e Coop Liguria
anto costa in più fare la spesa in Coop Liguria rispetto a Esselunga Milano

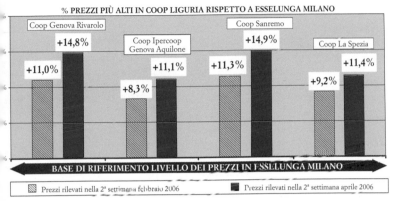

% PREZZI PIÙ ALTI IN COOP LIGURIA RISPETTO A ESSELUNGA MILANO

alcolate acquistando 1 pezzo per articolo di tutti i prodotti in comune rilevati attraverso il codice a barre)
e Panel International

nfronto prezzi articoli in comune tra Esselunga Firenze e Coop Liguria
anto costa in più fare la spesa in Coop Liguria rispetto a Esselunga Firenze

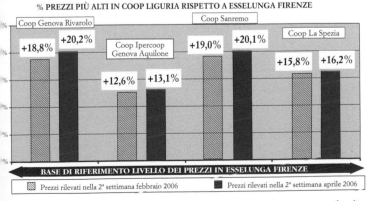

% PREZZI PIÙ ALTI IN COOP LIGURIA RISPETTO A ESSELUNGA FIRENZE

alcolate acquistando 1 pezzo per articolo di tutti i prodotti in comune rilevati attraverso il codice a barre)
Panel International

Allegato 25

COOP LIGURIA

16011 Arenzano (GE)
Via Val Lerone, 30
Telefono (010) 9139.1
Fax (010) 9139.303

Il Presidente

A tutto il Personale di Coop Liguria

Loro sedi

- Il 9 e 10 Aprile siamo tutti chiamati ad esercitare il nostro diritto e dovere di votare per eleggere il nuovo Parlamento e per la successiva costituzione di un nuovo Governo.

- L'appello che Vi rivolgiamo è innanzitutto quello di votare.
  L'astensione è una rinuncia a giudicare chi ha governato ed a scegliere, tra i programmi presentati dalle due coalizioni, quello che può meglio dare una risposta alla crisi del Paese: crisi profonda, economica, sociale e valoriale; crisi che ha determinato grandi insicurezze ed una precaria visione del futuro per la stragrande maggioranza delle famiglie, ed in particolare per le giovani generazioni e per le imprese.

- Nel corso della campagna elettorale, sono purtroppo continuati gli attacchi strumentali e calunniosi portati alla cooperazione dal Presidente del Consiglio: calunnie che hanno costretto Legacoop a querelarlo.

- Coop Liguria fa proprie le valutazioni critiche e le proposte che Legacoop ha presentato alle due coalizioni, e che sinteticamente richiamiamo.

  1. Critichiamo innanzitutto l'azione del Governo in carica per i deludenti risultati conseguiti e per l'azione volta a dividere il Paese con gli attacchi alla Cooperazione, al Sindacato, ed in ultimo alla Confindustria: attacchi che esprimono una visione politica che non tiene conto dell'esigenza di rendere protagoniste le forze sociali e produttive.

  2. La priorità è riportare il Paese sulla strada dello sviluppo duraturo ed almeno in linea con quello degli altri grandi Paesi europei.

3. Diviso, il Paese non sarà in grado di affrontare e vincere le sfide del rilancio economico, dell'innovazione in un contesto europeo e mondiale sempre più caratterizzato da una forte concorrenza.

4. Il Paese ha bisogno di coesione sociale e di concertazione tra Governo e parti sociali.

5. Occorre realizzare una politica fiscale che combatta l'evasione, l'economia sommersa, per recuperare risorse da destinare allo sviluppo, alla Sanità alla Scuola, alla Ricerca, e che contestualmente redistribuisca il carico fiscale in modo equo, privilegiando i redditi da lavoro, favorendo gli investimenti produttivi e tassando le grandi rendite.

6. E' necessario perseguire una politica estera nazionale ed europea di collaborazione e di pace a livello mondiale, per giocare un ruolo da protagonisti, concependo la globalizzazione dell'economia non come una minaccia, ma come un'opportunità.

7. La Cooperazione svolge un ruolo rilevante nell'economia e nella società, va valorizzata e non attaccata, è uno strumento straordinariamente moderno per affrontare le sfide del futuro: i Soci ed i lavoratori devono andare orgogliosi di questo ruolo importante.
   I Cooperatori ed i lavoratori non pensano solo a sé stessi, ma operano contribuire a creare un Paese migliore.

RingraziandoVi per l'attenzione, Vi rivolgiamo cordiali saluti.

Il Presidente
Bruno Cordazzo

Arenzano, 4 Aprile 2006

Festa Legacoop, in dieci anni ricavi raddoppiati

Compleanno delle cooperative con Napolitano. Poletti: cresceremo ancora

■ **di Laura Matteucci** / Milano

COMPLEANNO I leader nazionali di Legacoop, Giuliano Poletti e il suo vice Giorgio Bertinelli, ricevuti dal presidente della Repubblica Giorgio Napolitano al Quirinale. La Lega delle cooperative compie 120 anni, un secolo di trasformazioni radicali. Oggi, la sola Legacoop è un vero colosso della nostra economia, come dimostrano i numeri: in dieci anni la ricchezza prodotta dalle imprese della Lega è raddoppiata superando i 50 miliardi di euro, l'occupazione ha segnato un +80% arrivando a 415mila occupati e anche i soci crescono (oggi sono 7 milioni e 700mila).

E le coop vogliono continuare a crescere: promettono più trasparenza nella governance, perseguono un mercato aperto e concorrenziale e annunciano una «ridefinizione degli strumenti finanziari per perseguire una crescita idonea a sostenere la sfida della competizione». Tradotto: la Unipol-Bnl di Giovanni Consorte è il passato, ma il diritto di rappresentanza della cooperazione nel mondo delle banche resta un'esigenza strategica. E questo, al di là delle ultime polemiche sulla nuova merchant bank di Consorte (la società Intermedia) nella quale starebbero per entrare anche alcune importanti coop.

«Sono profondamente soddisfatto - dice al termine dell'udienza Poletti, il leader nazionale di Legacoop - per l'apprezzamento manifestato dal presidente Napolitano per il ruolo svolto dalle imprese cooperative nel panorama imprenditoriale italiano. Non-

chè per il riconoscimento del contributo che la cooperazione, con uno spirito di collaborazione necessario alla crescita del Paese, potrà offrire alla crescita della competitività, ad una maggiore efficienza dei settori produttivi e dei servizi e allo sviluppo della cooperazione internazionale».

L'occasione dell'incontro, il 120esimo anniversario della fondazione della centrale cooperativa, viene definita da Poletti «un traguardo importante per un'organizzazione che rappresenta un'esperienza imprenditoriale peculiare: i principi di democrazia, solidarietà, responsabilità condivisa che ne hanno ispirato lo sviluppo, come anche il suo forte legame con il territorio», hanno reso «la cooperazione uno strumento efficace per promuovere imprenditorialità diffusa, senso di appartenenza civile, responsabilità solidale verso la collettività».

Poletti ricorda quindi il significativo contributo che le coop assicurano allo sviluppo italiano in termini di produzione di ricchezza, crescita dell'occupazione, sviluppo dell'associazionismo economico.

Il presidente della Repubblica, Napolitano, ieri al Quirinale con il presidente della Coop, Poletti. **Foto Enrico Oliverio/Ansa**

Allegato 28

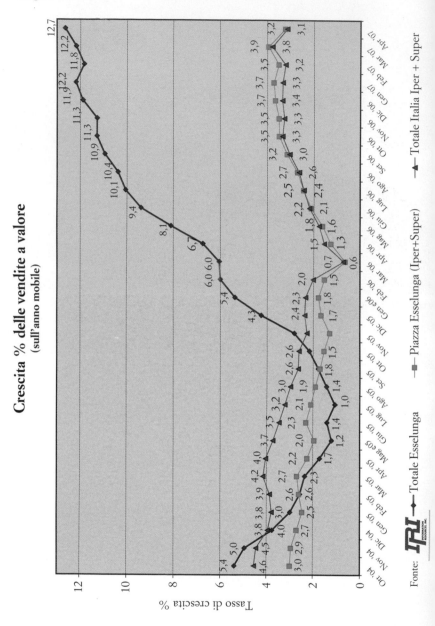

Crescita % delle vendite a valore
(sull'anno mobile)

Fonte: IRI

→ Totale Esselunga   ■ Piazza Esselunga (Iper+Super)   ◆ Totale Italia Iper + Super

Allegato 29

Allegato 30

"Ha ragione Caprotti: Esselunga e
Unicoop sono realtà inconciliabili
per missione e valori d'impresa"

L'INTERVISTA

"Non l'ho mai incontrato né ho mai
pranzato con lui: l'ho combattuto come
avversario ma l'ho sempre stimato"

(segue dalla prima di cronaca)

PIETRO JOZZELLI

Campaini: "Notti insonni davanti alla sfida di Esselunga"

Il presidente di Unicoop non crede che Caprotti venderà mai

CAMPAINI, dunque, non crede all'esistenza stessa di una possibilità di compra-vendita. Ma coglie l'occasione - come già fece un anno fa quando si oppose ai progetti di Consorte, allora numero uno di Unipole Finsoe, di acquisizione della BNL da parte delle cooperative - per affermare con puntiglio la sostanziale differenza che, a suo giudizio, distingue l'impresa cooperativa dall'impresa normale. «C'è il vezzo - dice - molto diffuso oggi, per interessi diversi, di accreditare l'idea che la Coop sia un'azienda come le altre. Non è così: noi siamo un complesso di cooperative autonome con strumenti comuni consortili. Esselunga è un'azienda, noi siamo tante. Non solo: noi di Unicoop consideriamo il rapporto con i dipendenti le associazioni sindacali in modo diverso da come il capitalismo [...]

lui costruiva i primi gran permercati, noi avevamo spaccetti. Alla fine del 70, mo ingrandendoci: ma c volte mi sono chiesto se vremmo fatta davanti ai di Esselunga. Sì, notti in Oggi però posso dire che nirlo lui era un gatto che va col topolino, oggi ci sog gatti che lottano alla par capisco: Caprotti con l'Esselunga la sua creatur cepisco il valore affettivo imprenditore dà alla sua tura, Esselunga è la stori sua vita. Non la venderà Non è un cas prima abbia te dilasciarne la c zione, poi è rite al timone. Ne panni farei lo s re una coop? H Ha mai visto ci visto che da un piccola ne fac una più grande volta imbocca strada, divent pezzo della tu coinvolge te e le persone che con rano e stanno l'impresa. Non le cambiare, m facendo finta d te. La compet con Essel [...]

Lido. I sindacalisti: «Non abbiamo impedito l'accesso, tutto si è risolto senza grossi problemi»

Esselunga, sciopero e tensione
Volantinaggio dei lavoratori, arrivano i carabinieri

LIDO. Una scena che hanno visto in tanti, che ha suscitato molta curiosità e un po' di tensione. È successa ieri mattina nel parcheggio dell'Esselunga i Lido di Camaiore, dove una manifestazione sindacale (con una cinquantina di partecipanti) ha dato il la a una serie i conseguenze che hanno portato all'arrivo dei Carabinieri all'identificazione dei manifestanti.

Lo sciopero di ieri era stato indetto - spiega Massimiliano Bindocci, della Filcams-Cgil - per protestare contro le condizioni di lavoro dell'Esselunga di Lido: in particolare quel punto vendita ha problemi cronici di orari e di precariato». Per la precisione, lo sciopero era legato a una manifestazione generale di due ore contro il precariato e l'Esselunga era stato preso a mo' di "esempio" di una situazione che in Versilia è particolarmente difficile.

Secondo il racconto del sindacalista, i lavoratori si sono messi a distribuire volantini ai clienti che - il sabato mattina - arrivavano numerosi. «Alcuni di loro - spiega Bindocci - quando li informavamo delle ragioni del nostro sciopero se ne andavano normalmente a fare la spesa». Una situazione che non è piaciuta al direttore del punto vendita, che ha accusato i manifestanti di impedire l'ingresso al supermercato. È partita, allora, una chiamata

Un momento della manifestazione dei lavoratori dell'Esselunga di Lido

ai carabinieri che sono intervenuti dopo pochi minuti.

«A quel punto non nego che c'è stato qualche attimo di tensione - prosegue Bindocci -, ma gli animi si sono placati in breve tempo». In ogni modo, le forze dell'ordine hanno chiesto le generalità di chi stava partecipando alla manifestazione. Il presidio è durato anche nel pomeriggio, quando a solidarizzare è arrivato il vicesindaco di Camaiore Alessandro Santini: e, di nuovo, sono

state chiamte le forze dell'ordine, che hanno chiesto le generalità anche all'esponente politico.

«Quello che rimproveriamo all'azienda - spiega Bindocci - sono gli orari di lavoro durante il periodo estivo e il pesante ricorso al precariato».

Secondo il sindacalista infatti, nei tre mesi della bella stagione l'Esselunga di Lido lavora «novanta giorni su novanta», con ritmi non sostenibili da parte delle maestranze.

Inoltre, quel punto vendita «presenta 50 lavoratori precari e altri 50 con contratto a tempo indeterminato», causando così anche una frizione all'interno dei lavoratori.

Una situazione, quindi, che rende ancora più esacerbato il clima dello scontro sindacale che, in Versilia, proprio durante i mesi estivi subisce un escalation a causa della fortissima propensione alla stagionalità e - accusano i sindacati - alla precarietà.

LE RIVENDICAZIONI	**LE AGITAZIONI**	**LA CAUSA**
La Rsu chiede alla proprietà di assumere i trenta part-time per fare fronte alla carenza di personale e alle turnazioni	La protesta è partita due settimane fa, si è riaccesa sabato, è proseguita ieri fra scioperi e assemblee. Servizi assicurati da personale di altri negozi	La scintilla della vertenza è stata innescata dalla decisione di introdurre il sistema dei turni spezzati, ritenuta peggiorativa

Braccio di ferro all'Esselunga

Proseguono gli scioperi e le assemblee

— MASSA —

CONTINUA la protesta dei dipendenti Esselunga, sul piede da quando, due settimane fa, l'Rsu del punto vendita di viale Roma ha proclamato lo stato di agitazione. Ieri, dopo un weekend di "fuoco" – la giornata di sabato è stata scandita infatti dai ritmi dello sciopero e delle assemblee –, il personale del supermercato è tornato a incrociare le braccia per quattro ore. Sul tavolo delle rivendicazioni la richiesta di assumere a tempo pieno alcuni dei trenta dipendenti part-time attualmente impiegati nel supermercato. Una richiesta che – sostiene la rappresentanza sindacale –, se applicata, contribuirebbe a risolvere i problemi legati alla carenza di organico, rendendo superfluo ogni intervento su turnazione e fasce orarie.

LA SCINTILLA che ha fatto scoppiare il fuoco della polemica è stata innescata infatti dalla decisione di introdurre il sistema dei turni spezzati: una decisione assunta dalla direzione e prevista, almeno in linea di principio, anche dal contratto integrativo aziendale, ma respinta dalla base sindacale. I dipendenti sono convinti infatti che la nuova tabella oraria sia fortemente peggiorativa: basterebbero a dimostrarlo i risultati prodotti nei punti vendita in cui il "turnino" è già stato adottato e dove la direzione del supermercato, sostengono i delegati Rsu, sarebbe stata costretta a ricorrere a personale part time per coprire i riposi infrasettimanali dei dipendenti impiegati con la turnazione spezzata.

I DIPENDENTI si scusano con la clientela per i disagi provocati dalla loro protesta e in una nota precisano: «Il servizio è stato garantito dalla presenza dei dipendenti con contratto a termine provenienti da negozi di recente apertura (La Spezia, Pisa, Bologna) e da negozi dell'area toscana. Abbiamo scioperato per difendere il diritto essenziale ad avere orari dignitosi e che consentano di avere una vita familiare degna di tale nome».

UN PROBLEMA, quello della turnazione, che si somma alla carenza di personale full time: «Nella filiale — precisa l'Rsu — è impiegato lo stesso numero di dipendenti a tempo pieno di 20 anni fa, quando la superficie di vendita era due terzi di quella attuale e vi erano tre reparti in meno: audio, pescheria e panetteria. L'introduzione di questi reparti e l'ampliamento della superficie di vendita hanno prodotto un incremento negli incassi che non ha avuto alcun riflesso nei salari».

«NON SOLO — conclude la rappresentanza sindacale del super-

PROTESTA
Dipendenti in agitazione al supermercato Esselunga di viale Roma

LA VERTENZA
I sindacati chiedono trenta assunzioni
L'azienda ricorre a personale esterno

mercato — : pur di non trasformare alcuni contratti part-time in full-time, l'azienda pretende dai dipendenti ulteriori sacrifici in termini di orari che penalizzerebbero i rapporti familiari e interpersonali. A questo si aggiunge la libera interpretazione che Esselunga dà del contratto integrativo, contratto che noi rispettiamo ma in cui l'azienda trova norme oggettivamente inesistenti».

Roberta Della Maggesa

APPENDICE

LA COOP SEI TU?
CONOSCIAMOCI DI PIÙ!
di Stefano Filippi

Il diessino Pierluigi Bersani, ministro emiliano che le conosce come nessun altro, ha coniato per le Coop rosse un'espressione botanica. Le ha definite «una varietà biologica fondamentale italiana». Ne ha parlato come fossero una specie in via di estinzione, una rarità da proteggere, giacché questo «presidio costituzionale» in grave pericolo non pensa soltanto al profitto – come l'impresa capitalistica – ma «cresce per istinto in quanto non ha padroni e reinveste gli utili». Il ministro Bersani racconta la favola bella di un sistema disinteressato al business. In realtà, attorno alla Lega delle Cooperative ruotano ogni anno qualcosa come 118 miliardi di euro, pari a 228.000 miliardi di vecchie lire.

Il presidente nazionale dell'UNCI (Unione Nazionale Cooperative Italiane), Luciano D'Ulizia, che è anche deputato eletto con l'Italia dei Valori di Antonio Di Pietro, lo scorso anno ha presentato un'interrogazione parlamentare sulle misure di sostegno a favore delle imprese cooperative, alla quale durante il *question time* nell'aula di Montecitorio, trasmesso in diretta televisiva da Raidue, ha risposto il vicepresidente del Consi-

glio dei ministri, Massimo D'Alema, in persona. In quell'occasione è stato ribadito che quello «imprenditoriale cooperativo è un sistema d'eccellenza, dato confermato anche dai rapporti Censis e Unioncamere, in grado di creare entro il 2006 103.310 nuovi posti di lavoro, ossia il 40% della nuova occupazione, con un contributo al PIL nazionale pari a circa l'8%». In Italia il valore del PIL ai prezzi di mercato lo scorso anno è stato pari a oltre 1.475 miliardi di euro correnti. Ed ecco spiegati i 118 miliardi di euro di cui sopra.

In altre occasioni l'universo della cooperazione s'è vantato d'aver raddoppiato il personale nell'ultimo decennio, arrivando a un milione di dipendenti (oltre 400.000 gli occupati registrati dalle nove associazioni di settore della sola Legacoop). Il personale dell'intero gruppo FIAT in Italia, al 31 dicembre 2006, era pari a 75.751 unità. Tredici volte di meno.

I settori in cui la Lega delle Cooperative è presente comprendono non soltanto la distribuzione alimentare e le assicurazioni (i più noti al grande pubblico), ma anche le costruzioni edili, l'agroalimentare, i servizi, i macchinari industriali, il turismo, la pesca, il mercato abitativo. Da ultimo, persino i telefonini.

Nuovi orizzonti, come la distribuzione farmaceutica e la vendita di carburante, sono stati spalancati dal governo di centrosinistra.

Le Coop competono con le altre imprese pubbliche e private, grandi e piccole, spinte da una serie impressionante di vantaggi: pagano un terzo delle tasse che è costretta a versare un'impresa normale, non sono scalabili, in alcuni casi non sono neppure tenute a rispettare l'articolo 18 dello Statuto dei lavoratori (quello sui licenziamenti).

Le Coop, insomma, sono un colosso ramificato che controlla ampi settori dell'economia italiana grazie alla saldatura con quello che era il Partito Comunista Italiano. Un potente agglomerato politico-affaristico in cui ben poco è rimasto del solidarismo delle origini.

Da Rochdale a Bologna

La Legacoop nacque nel 1886. Allora si chiamava ancora Federazione Nazionale delle Cooperative. In quegli sgoccioli di Ottocento non era certo il potentato che sarebbe diventato nel secolo successivo. L'organizzazione radunava le società mutualistiche italiane sorte sulla scia dei "Probi pionieri di Rochdale", cioè il gruppo di 28 lavoratori inglesi che il 23 ottobre 1844 fondarono la prima cooperativa. Lo scopo – sono parole loro – era quello «di adottare provvedimenti per assicurare il benessere materiale e migliorare le condizioni familiari e sociali dei soci». In Italia i primi a rifarsi all'esperienza nata nel sobborgo di Manchester furono gli operai piemontesi che istituirono il Magazzino di Previdenza di Torino, una cooperativa di consumo sorta nel 1854. Due anni più tardi ad Altare, in provincia di Savona, vide la luce la Artistica Vetraria, una cooperativa di lavoro.

Siamo lontanissimi dall'assetto che Legacoop avrebbe assunto nel tempo, cioè di principale cinghia di trasmissione del PCI: più dei sindacati, dei circoli culturali, dei dopolavori ricreativi. La seconda metà dell'Ottocento è ancora l'epoca delle grandi teorie economiche, delle riflessioni sul rapporto tra capitale e

lavoro, e la cooperazione sembra offrire risposte a questioni sia pratiche e immediate, come la disoccupazione e il carovita, sia teoriche. Giuseppe Mazzini, per esempio, vedeva in essa una sintesi ideale per cui capitale e lavoro sarebbero potuti confluire «in un'unica mano».

Dal 10 al 13 ottobre 1886, 100 delegati in rappresentanza di 248 società e 70.000 soci si riunirono in un congresso a Milano per organizzare il movimento cooperativo. Nacque così la Federazione Nazionale delle Cooperative, che sette anni più tardi si sarebbe trasformata in Lega delle Cooperative. Al suo interno trovavano espressione entrambe le tradizioni mutualistiche, quella socialista e quella cattolica. La divisione fra le due componenti fu sancita nel 1919, al termine della Grande Guerra: i cattolici se ne andarono nella Confederazione delle Cooperative Italiane mentre i laico-socialisti restarono nella Lega, che sarebbe stata sciolta durante il fascismo.

Ma il vero boom della cosiddetta economia solidaristica si registrò nel secondo dopoguerra soprattutto grazie all'articolo 45 della Costituzione, che «riconosce la funzione sociale della cooperazione a carattere di mutualità e senza fini di speculazione privata, ne promuove e favorisce l'incremento con i mezzi più idonei». Nell'Italia del miracolo economico, il "partito" che fu di Antonio Gramsci e Palmiro Togliatti pigiò sull'acceleratore. Fece delle Coop il *trait d'union* più affidabile tra le Botteghe Oscure e la società civile, una fonte di consenso, di fiancheggiamento politico e di controllo sociale. Lo si constata bene oggi che il sindacato perde iscritti e consensi e i circoli ricreativi chiudono per mancanza di frequentatori, mentre Legacoop si conso-

lida come un impero economico che possiede assicurazioni e supermercati, costruisce case e autostrade, gestisce telefonini e organizza vacanze, produce cibo ed è presente in Borsa, fa sentire il suo peso sull'azione dei governi ed entra nei principali affari economico-finanziari del Paese.

La terza impresa italiana

Per fatturato, il gruppo Legacoop è la terza impresa italiana, con oltre 50 miliardi di euro, dopo ENI e FIAT-IFI. Dà lavoro a circa 415.000 persone. È la prima associazione italiana, con più di 7.700.000 iscritti (che fungono anche da impiegati e clienti), due milioni più della CGIL e tre più della CISL. Ha una struttura estremamente ramificata perché vende di tutto. È presente in Borsa con alcune società, tra cui spiccano le assicurazioni Unipol, l'immobiliare IGD (controllata da Coop Adriatica e Unicoop Tirreno), la Negri Bossi (che fa capo alla Sacmi di Imola) e Servizi Italia (Coopservice di Reggio Emilia). Unipol e IGD nel 2006 hanno incrementato la loro capitalizzazione a Piazza Affari per più di un miliardo di euro a testa; IGD ha addirittura fatto registrare l'incremento percentuale più elevato di tutti i titoli del listino (+ 82,06%).

Sarebbe però arbitrario dedurne che la Legacoop abbia accettato i rischi connessi al mercato borsistico. Scalare Unipol e IGD è impossibile in virtù di un sistema che viene definito di "autocontrollo circolare". Controllati e controllori sono sempre gli stessi.

Nelle grandi vicende economiche italiane la holding

presieduta da Giuliano Poletti è sempre presente. I suoi campi d'azione consolidati sono tre: l'agroalimentare, le costruzioni e soprattutto la grande distribuzione organizzata. A Legacoop aderiscono colossi come Granarolo (latticini), che dopo aver acquisito la Centrale del Latte di Milano, gli yogurt Yomo e le mozzarelle Pettinicchio ha puntato anche su Parmalat; giganti della ristorazione collettiva come Camst e Cir Food, leader in Italia, forti in Europa e presenti anche in altri continenti. Nel comparto edilizio, realtà come Consorzio Cooperative Costruzioni di Bologna (CCC), Cooperativa Muratori e Cementisti di Ravenna (CMC), Coopsette sono tra le maggiori imprese nazionali. Delle prime 30 aziende italiane specializzate in grandi opere, 12 sono cooperative e 10 appartengono alla galassia Legacoop.

Quanto alla grande distribuzione organizzata (GDO, in gergo tecnico), la sua importanza può essere riassunta in questi dati: essa rappresenta il 42% del fatturato di Legacoop e raggruppa l'82% delle cooperative iscritte. A ciò si aggiunga che le cooperative di consumo e della grande distribuzione (le "nove sorelle" del marchio Coop e i supermercati Conad) sono in posizione di assoluta predominanza nelle regioni d'Italia in cui operano.

L'ultimo business, come s'è detto, appare quello assai promettente della telefonia mobile. Grazie a un accordo con Telecom Italia, la Coop è diventata il primo operatore virtuale in grado di fornire una propria gamma di servizi, con tariffe agevolate per i soci. Con il marchio Coopvoce, nei supermercati della catena si acquistano e ricaricano schede di telefonini con prefissi dedicati, si ottiene assistenza e si fa concorrenza agli altri operatori mobili.

La crescita delle "nove sorelle" è strettamente connessa agli uomini che le hanno pilotate. In particolare a quattro personaggi, quattro manager piazzati nei posti chiave nelle zone più importanti: Pierluigi Stefanini (Coop Adriatica) e Mario Zucchelli (Coop Estense) in Emilia, Turiddo Campaini (Unicoop Firenze) in Toscana e Bruno Cordazzo (Coop Liguria) in Liguria. Ognuno di loro è un pezzo di storia di Legacoop.

Zucchelli, dagli Appennini alle Murge

Mario Zucchelli, nato il 23 gennaio 1946 a Castelfranco Emilia (Modena), laurea in economia e commercio conseguita sotto la Ghirlandina con tesi sulla cooperazione di consumo nel Modenese, entrò nelle Coop a 28 anni. A 38 era già presidente di Coop Modena. Con l'assorbimento di Coop Ferrara, diede vita a Coop Estense. Ne divenne presidente il 1° aprile 1989, sei mesi prima che cadesse il Muro di Berlino, e lo è tuttora. Gli piacciono il teatro, la pallavolo, la pesca sportiva.

Fu lui nel 1996 a volere l'espansione di Coop Estense in Puglia, partendo dall'acquisizione di negozi Pam e Coin: in 12 mesi aveva già raccolto 24.000 soci, saliti a 219.000 nel 2006. Numero elevatissimo, se confrontato con quello dei soci nelle province "storiche": 100.000 a Ferrara e 230.000 a Modena. Ancora Zucchelli, assieme a Stefanini, ha lanciato il primo fondo immobiliare italiano specializzato nella grande distribuzione, il fondo chiuso Estense grande distribuzione, che investe in immobili commerciali (iper e supermercati). «Un'operazione innovativa che servirà per

finanziare lo sviluppo di Coop Estense», spiegò a suo tempo.

Zucchelli è stato il più pronto anche a sfruttare la possibilità (ipotizzata e messa a punto proprio dalle Coop, quindi pedissequamente tradotta in legge dal secondo governo Prodi con i decreti Bersani) di vendere farmaci da banco nei supermercati. Non a caso i primi negozi Coop in grado di commercializzare medicine sono stati quelli di Carpi, Ferrara e Bari, tutti e tre appartenenti a Coop Estense. La quale adesso occupa il terzo posto nella top ten delle cooperative italiane (fatturato di 1.281 milioni di euro nel 2006 con 48 punti vendita), dietro a Unicoop Firenze e Coop Adriatica, e il secondo tra tutte le aziende della provincia di Modena, preceduta soltanto dalla Ferrari di Maranello.

Nel 1997 il curriculum di Zucchelli fu macchiato da una multa inflittagli dall'allora ministro del Tesoro, Carlo Azeglio Ciampi. Zucchelli sedeva allora nel consiglio di amministrazione della BANEC (Banca dell'Economia Cooperativa, in seguito trasformata in Unipol Banca), punita per «carenze nell'attività di controllo da parte del collegio sindacale, degli amministratori e del direttore» accertate da un'ispezione della Banca d'Italia. Le multe colpirono Consiglio d'amministrazione, direttore e sindaci. Di BANEC, Zucchelli era stato anche presidente dopo l'estromissione nel 1992 dei vertici, Pietro Verzelletti e Gilberto Sbrighi, allontanati per operazioni in valuta che con la svalutazione della lira si tradussero in minusvalenze stimate tra i 15 e i 20 miliardi di lire. Il numero uno di Coop Estense prese le redini di BANEC in quanto vicepresidente in carica, consigliere di amministrazione di Fincooper (il consor-

zio finanziario della Legacoop) e uomo di assoluta fiducia degli uomini della finanza rossa.

Fiducia attestata dalla ricca collezione di *board* cooperativi che Zucchelli può sfoggiare: presidente di Finpar Spa (finanziaria del gruppo Coop Estense), vicepresidente di Sofinco Spa e Finube Spa (altre finanziarie controllate da Coop Estense che gestiscono una serie di partecipazioni), consigliere di Unipol Merchant Spa, Finec Holding Spa, Holmo Spa e Finsoe Spa fino agli inizi del gennaio 2006, nel pieno dello scandalo Unipol. Poi Zucchelli è diventato presidente di Holmo, la holding finanziaria (posseduta al 100% da 43 cooperative) che, tramite Finsoe, controlla la compagnia assicurativa rossa.

Campaini, l'inossidabile Cuccia toscano

L'hanno battezzato il Cuccia rosso che viaggia in seconda classe. L'hanno dipinto come il manager che difende l'autonomia delle Coop dall'invadenza del "partito" (PCI prima, PDS poi, DS adesso, PD presto), che da Firenze incrocia le lame con le Coop di Bologna, che ha rifiutato gli inviti a entrare in politica per restare vicino alle sue creature, che tesse rapporti estesi fino alle parrocchie e all'arcivescovado di Firenze.

Basso profilo e poche parole, Turiddo Campaini, classe 1940, fiorentino di Montelupo trapiantato a Empoli, è diventato un personaggio famoso soltanto a 65 anni, agli inizi del gennaio 2006, quando è stato nominato presidente della Finsoe, la cassaforte della Legacoop che custodisce le chiavi di Unipol. Ma nove mesi più tardi ha abbandonato quella poltrona per

divergenze con Stefanini, e da allora è tornato nell'ombra.

Campaini ha messo piede nelle Coop nel 1963, a 23 anni. Lavorava in una vetreria di Empoli e fu assunto alla Cooperativa del Popolo di Empoli. In breve divenne direttore amministrativo, introdusse il controllo di gestione, ancora sconosciuto, e allargò la rete di vendita. Fu nominato presidente nel 1971; due anni dopo guidò la fusione con la Toscocoop, fece nascere Unicoop Firenze e vi si insediò al vertice. Era il 1973: alla Casa Bianca risiedeva Richard Nixon, al Cremlino Leonid Brezhnev, il Palazzo dell'Assemblea del Popolo di Pechino era ancora presidiato da Mao Tse-tung, il generale Augusto Pinochet assaltava la Moneda, a Palazzo Chigi il Rumor IV dava il cambio all'Andreotti II, sul soglio di San Pietro sedeva Paolo VI. Un altro mondo. Poche poltrone non hanno mai mutato occupante da allora: tra queste, lo scranno del presidente di Unicoop Firenze. Che sta ancora seduto lì.

Quella di Campaini è la prima Coop di consumo d'Italia: un fatturato di quasi due miliardi di euro nel 2006, altri 2,7 miliardi di euro raggranellati tramite il prestito sociale, un centinaio di punti vendita, quasi 7.500 dipendenti e un numero di soci vicino al milione tra i 2.600.000 abitanti delle sette province toscane dove è presente. Dunque, in queste aree il 70% delle famiglie e il 38% dei residenti è socio di Campaini. Il quale, dopo avere consolidato la sua azienda nel settore distributivo alimentare, ne ha diversificato le attività entrando in due fiorenti settori: il bricolage (con l'acquisizione, avvenuta nel 2002 per 80 miliardi di lire, del 70% di OBI Italia, una delle grandi catene europee di magazzini per il fai da te) e l'elettronica di consumo.

Al 50% con Consum.it, la società della banca Monte dei Paschi di Siena che opera nel credito al consumo, la società di Campaini ha costituito nel 2005 Integra Spa per lanciare nuovi strumenti finanziari destinati ai soci, in particolare carte di pagamento.

Si favoleggia dell'indipendenza di Campaini dal PCI-PDS-DS. I suoi agiografi, dimenticando che fu consigliere comunale PCI a Empoli tra il 1980 e l'85, alimentano il mito del cooperatore tutto d'un pezzo raccontando la polemica che a metà degli anni '90 lo contrappose alla Regione Toscana, amministrazione rossa accusata di bloccare il piano della grande distribuzione. Il problema era che il presidente Unicoop cercava sbocchi di investimento per una grande quantità di denaro raccolto tramite il prestito sociale remunerato a tassi elevatissimi: una riserva, già a quell'epoca, di circa 1.500 miliardi di lire che poteva dare luogo a un piano di investimenti triennale di 500 miliardi l'anno. Somme iperboliche ottenute senza mettere piede in banca.

Egli chiama questa raccolta "finanza popolare". Gli piace tanto. Quando ascese ai vertici dell'Unipol squassata dagli intrighi dei suoi grandi avversari Giovanni Consorte e Ivano Sacchetti (era il 9 gennaio 2006), il numero uno delle Coop toscane tuonò: «Basta parlare di finanza rossa, noi siamo una finanza al servizio della gente senza una caratterizzazione precisa. Sarebbe ora di finirla di attribuire un colore politico al movimento cooperativo e alla sua parte finanziaria, che già oggi è riuscito a debellare il virus che lo aveva colpito e ora sta cercando un vaccino che impedisca a virus dello stesso ceppo di attaccarlo in futuro. La sintesi tra finanza rossa e cooperative rosse dice tanto, ma sono

definizioni sbagliate, o quantomeno non corrisponden-
ti alla realtà. La finanza non è qualcosa vicina a una
parte politica, ma agli interessi generali, agli interessi
dei milioni di persone nostre associate».

Pochi giorni dopo, Campaini giunse a ipotizzare una
fusione tra Coop rosse e bianche. Cioè, stanti i rapporti
di forza, l'assorbimento delle seconde nelle prime. «I
tempi sono maturi, il Muro di Berlino è crollato da un
pezzo», argomentò. «È venuto il momento di una fusione tra Legacoop e Confcooperative. La nostra gente la
vuole e noi ci dobbiamo arrivare al più presto; la distin-
zione tra bianchi e rossi non ha più alcun senso, i nostri
soci non la sentono più da anni e sanno che i vecchi
steccati riguardano ideologie ormai tramontate, a
cominciare dal comunismo».

Ma Campaini ha retto pochi mesi sul ponte di
comando di Finsoe: a fine agosto del 2006 ha annunciato le dimissioni. Ufficialmente l'addio sarebbe legato
alla conclusione del mandato di "traghettatore" in Unipol che Legacoop gli aveva assegnato, in diretta contrapposizione con la gestione Consorte-Sacchetti. Campaini era sempre stato contrario (e non l'aveva mai
nascosto) alla scalata dell'assicurazione alla BNL. «Io
non ci sto, devi rassegnarti all'idea che non sono scala-
bile»: con queste parole, riferiscono i giornali, Campaini stoppò l'insistenza con cui Consorte voleva trainarlo
nella conquista della banca romana. E dopo il passo
indietro, il manager toscano partì alla controffensiva
acquistando pacchetti di azioni del Montepaschi, banca
di cui era già consigliere, rafforzando la partecipazione
di Unicoop Firenze fino a raggiungere il 2,99%.

In realtà, dietro il suo "gran rifiuto" non c'è la "vil-
tade" che secondo Dante attanagliò Celestino V ma, più

semplicemente, l'inversione dei rapporti di forza tra le Coop dell'asse appenninico tosco-emiliano. Al momento di insediare i nuovi vertici del gruppo Unipol dopo l'insuccesso dell'operazione BNL e l'apertura delle inchieste giudiziarie che avevano travolto Consorte, a Campaini (Unicoop Toscana) era toccata Finsoe, cioè la holding controllante di cui Montepaschi possiede il 27%, mentre a Stefanini (Coop Adriatica) la controllata. Questa scelta fu interpretata come una vittoria dei toscani sugli emiliani nella lotta intestina a Legacoop.

Nei pochi mesi di coabitazione, tuttavia, Campaini ha perso due battaglie: è fallito il tentativo di integrare Unipol e Montepaschi che doveva essere realizzato «in tempi brevi, entro l'estate»; ma soprattutto è arrivato, mal digerito, il nuovo amministratore delegato di Unipol, Carlo Salvatori, scelto in totale autonomia dai bolognesi. E da Holmo, la capofila guidata da Zucchelli, è arrivato su Campaini il colpo di grazia, cioè l'ipotesi di ridisegnare la catena di controllo accorpando Finsoe nella holding madre. Prima di restare stritolato nella morsa degli emiliani, Campaini ha preso cappello ed è tornato a Firenze.

Le Coop sono una fede, per Campaini. Per lui devono sì «guardare al mercato», ma «non solo con una logica di profitto. Gli strumenti del movimento cooperativo vanno considerati come tali, e non semplicemente come strumenti di accumulazione». A questa specie di missione il presidente di Unicoop Firenze assolve con un rigore ascetico di stampo khomeinista, in modo da non alimentare le invidie che lo smisurato potere concentrato nelle sue mani inevitabilmente gli attira. Ogni mattina attorno alle 7 esce dalla casa di Empoli dove vive con la moglie e la madre, si mette alla

guida di una Audi 4 oppure sale su una carrozza di seconda classe del treno regionale, e raggiunge l'ufficio nel centro di Firenze. Un rituale che Campaini ha assorbito dal suo maestro, Duilio Susini, figura storica della cooperazione toscana, l'uomo che negli anni '60 fece infuriare il PCI con l'idea di unire le cooperative del popolo e aprire i supermercati.

Susini era iscritto al "partito" comunista, fu consigliere comunale e assessore a Empoli per vari mandati. Come lui, anche Campaini è stato consigliere comunale del PCI. Ama il calcio e la musica, non ha telefonino aziendale, incassa circa 120.000 euro lordi di stipendio annuo, mangia in mensa. L'unica imperfezione è nel nome: il papà, che amava i melodrammi del livornese Pietro Mascagni, voleva chiamarlo Turiddu come il giovane contadino della *Cavalleria rusticana*, ma l'impiegato dell'anagrafe di Montelupo non era un melomane e sbagliò l'ultima vocale. E fu per sempre Turiddo.

Gli chiesero di diventare azionista dell'*Unità*, di accettare un seggio blindato in Parlamento, di candidarsi a sindaco di Firenze. Ha sempre rifiutato. Non sarebbe stato né il primo né l'ultimo manager Coop a infilarsi nelle porte girevoli che mettono in comunicazione "partito", società mutualistiche e cariche politiche o amministrative. Non voleva diventare un nuovo Lanfranco Turci, che fu presidente della Giunta regionale dell'Emilia Romagna, presidente nazionale di Legacoop e senatore ulivista. Campaini è rimasto avvitato sulla sua poltrona. Forse per approfondire il solco con i cooperatori emiliani. O forse per non abbandonare la sua coperta di Linus. La sua Coop.

Cordazzo, bussare e non entrare

Bussare prima di entrare è una elementare regola di buona educazione, che però non si applica agli affari. Bruno Cordazzo, presidente di Coop Liguria, non la pensa così. I concorrenti devono «chiedere permesso» a lui se vogliono mettere piede nel suo regno commerciale. I cui confini egli identifica con l'orografia della Liguria. In pratica s'è annesso la carta geografica.

Cordazzo è il manager che ha finalmente disvelato il segreto del successo delle Coop: esse prevalgono, ha spiegato al *Secolo XIX* di Genova, perché «curano i rapporti con le istituzioni, non certo per favoritismi», e perché «costruiscono nel tempo» una trama di relazioni da far fruttare al momento giusto. Gli altri operatori dovrebbero imparare da loro a «non fare la voce grossa» con le amministrazioni locali. Dunque «rivendicare con garbo i propri diritti, se si pensa di averne».

Cordazzo è ligure di Chiavari, dove è nato il 24 giugno 1943. Tutta la sua carriera si è sviluppata nella cooperazione, inizialmente all'ombra di Remo Checconi, ora presidente onorario. Il suo nome è legato all'imponente sviluppo di Coop Liguria, che sotto la sua guida è diventata un colosso: 40 punti vendita distribuiti anche nel confinante Basso Piemonte, un giro d'affari di poco inferiore a 700 milioni di euro, 3.000 dipendenti e 450.000 soci: numero altissimo, il 28% degli abitanti della regione, che sono circa 1.600.000. Più di un cittadino ligure su quattro – e un adulto su tre – è socio di Cordazzo: un quasi monopolio.

Gli piacciono le iniziative culturali. Fu tra i maggiori sostenitori delle manifestazioni per "Genova 2004

capitale europea della cultura"; è tra i promotori del premio Colombe d'oro per la pace, i cui riconoscimenti vengono consegnati dal Presidente della Repubblica; sempre nel 2004 ha scritturato lo scenografo e costumista Lele Luttazzi per ideare una campagna pubblicitaria intitolata *Pulcinella e il Mediterraneo*, naturalmente presentata alla festa dell'Unità e dedicata al cibo come veicolo di cultura tra i popoli.

Ma la vera passione del presidente di Coop Liguria è la finanza. È consigliere di Ligurpart Spa, società finanziaria controllata da Coop Liguria per conto della quale assume e gestisce partecipazioni azionarie, e di Coopfond Spa, la società che gestisce il fondo mutualistico per la promozione cooperativa alimentato dal 3% degli utili annuali delle cooperative aderenti a Legacoop, che ne è l'unico azionista. Non gli è sfuggita neppure l'importanza delle alleanze bancarie. È stato lui a portare Coop Liguria (assieme a Coopsette) nel salotto buono degli azionisti di Banca Carige, di cui detiene poco meno del 2%. Come rappresentante di questa quota, nel Consiglio di amministrazione dell'istituto e nel comitato esecutivo siede Remo Checconi, presidente onorario di Coop Liguria. Sempre Cordazzo ha orchestrato l'ingresso della sua Coop nell'azionariato di BNL con un 3,99%.

Questa percentuale ebbe il suo peso ai tempi della scalata Unipol. Bruno Cordazzo, infatti, è consigliere di amministrazione (indipendente e non esecutivo) del gruppo assicurativo a lungo guidato da Consorte. Proprio quest'ultimo, a metà 2005, chiese a quattro Coop di spalleggiarlo nella scalata a BNL: Adriatica (Stefanini), Estense (Zucchelli), la piemontese Novacoop e infine la stessa Liguria, l'unica che fosse azionista stabile

di una banca, appunto Carige. «Coop che fanno capo a Stefanini», disse nei colloqui intercettati.

Nei drammatici mesi che seguirono, Cordazzo prima fece quadrato attorno all'ex numero uno della compagnia, esprimendo «fiducia nel management», invocando «coesione» e difendendo la «legittimità» dell'operazione; poi però fece dietrofront affermando che era stato «violato il codice etico».

Qualcuno aveva anche sospettato che fossero state le Coop a indurre Carige a entrare nel patto di sindacato di cui facevano parte Unipol, Hopa e le altre Coop per acquisire il controllo di BNL; del resto l'istituto genovese era già azionista della banca romana con l'1,99%. Cordazzo smentì: «Cosa volete che prospettiamo noi, sono scelte autonome di Carige».

Non si è però tirato indietro alla vigilia delle elezioni politiche 2006, quando ha spedito un appello alle migliaia di suoi dipendenti. L'invito contenuto nella circolare datata 4 aprile, sia chiaro, era «innanzitutto quello di votare». Perché l'astensione è «una rinuncia a giudicare chi ha governato e a scegliere, tra i programmi presentati dalle due coalizioni, quello che può meglio dare una risposta alla crisi del Paese».

Cordazzo, non c'è bisogno di sottolinearlo, sponsorizzava apertamente il centrosinistra. Silvio Berlusconi lasciava infatti un Paese «in crisi profonda, economica, sociale e valoriale; crisi che ha determinato grandi insicurezze e una precaria visione del futuro per la stragrande maggioranza delle famiglie». In più, il premier uscente di centrodestra aveva lanciato «attacchi strumentali e calunniosi alla cooperazione», era criticabile «per i deludenti risultati conseguiti e per l'azione volta a dividere il Paese». Non c'era scritto «Votate Prodi»,

ma si leggeva tra le righe. Cosa non si deve fare per «curare i rapporti con le istituzioni», soprattutto quelle amiche.

Stefanini, l'operaio diventato padrone

Pierluigi Stefanini è la vera incarnazione del sistema Coop. Non è un Campaini, padre-padrone che rifiuta agi e incarichi per far diventare Unicoop Firenze la prima Coop alimentare e distributiva d'Italia. Non è un Cordazzo, che ammonisce i concorrenti a «chiedere permesso» e «curare i rapporti con le istituzioni» se vogliono conquistare spazi.

Stefanini è un emiliano, bolognese di Sant'Agata (dov'è nato nel 1953) e ha casa sotto le Due Torri, nel cuore del potere rosso. È un uomo di "partito" tutto d'un pezzo, ufficiale di collegamento tra la Quercia e il braccio economico-finanziario. Prese la tessera del PCI a 19 anni e ora ha in tasca quella dei DS. È una garanzia, un abile navigatore cui appoggiarsi nei momenti più difficili come ha fatto l'Unipol nel dopo Consorte.

Quarto di cinque fratelli, dopo la licenza media Stefanini cominciò a lavorare presso un piccolo artigiano metalmeccanico, approdando quindi sedicenne come apprendista operaio alla GD della famiglia Seragnoli, società leader mondiale nelle macchine per produrre e confezionare sigarette, una potenza nella realtà economica bolognese che ha generato la cosiddetta Packaging Valley. Stefanini aderì alla sezione comunista della GD (150 iscritti su 700 lavoratori), battezzata "Vietnam libero", e ne divenne segretario. Era l'inizio dell'arrampicata.

Alla fine degli anni '70 lasciò i Seragnoli, assunto come funzionario della federazione comunista cittadina allora guidata da Renzo Imbeni. Reduce da due anni di studio alla scuola di "partito" – non le Frattocchie romane, bensì la più ruspante scuola di Albinea, poco fuori Reggio Emilia – si occupava del settore lavoro, delle fabbriche e dell'organizzazione. Nel 1988 divenne segretario cittadino. Appena due anni dopo spiccò il salto verso le Coop.

Stefanini è uno che ha sempre tessuto rapporti estesi e ramificati nelle centrali del potere bolognese. È consigliere di amministrazione della Fondazione Cassa di Risparmio, della Società Aeroporti Bologna (SAB), della Camera di Commercio. È stato consigliere dell'Ente Fiera, vicepresidente della Banca di Bologna (banca di credito cooperativo), membro del Comitato scientifico di Nomisma, il "pensatoio" di Romano Prodi. Sua moglie, Siriana Suprani, coordinatrice dell'Istituto Gramsci in Emilia Romagna, è consigliere comunale DS dall'autunno 2000. In questi snodi Stefanini è stato immesso per avere presieduto dal 1990 al 1998 la Lega delle Cooperative di Bologna ed essere poi passato alla testa di Coop Adriatica, prima Coop emiliana e seconda in Italia.

Ora Stefanini ha lasciato il timone di Adriatica per dedicarsi interamente a Unipol Assicurazioni, dove si è insediato nel gennaio 2006 al posto di Giovanni Consorte. Per la doppia poltrona di presidente e amministratore delegato di via Stalingrado, è stato costretto a lasciare la presidenza di Holmo (ora ne è semplice consigliere), che occupava come azionista principale: Coop Adriatica controlla infatti il secondo pacchetto azionario mentre un ulteriore 20% circa fa capo a una finan-

ziaria di nome Ariete, di cui Stefanini è consigliere dopo esserne stato presidente.

Altre poltrone: consigliere di amministrazione di Unipol Banca, di Finec Merchant Spa (la finanziaria d'affari della galassia Unipol-Legacoop), del Monte dei Paschi di Siena, della Banca Nazionale del Lavoro. Ricapitolando: è tra i maggiori azionisti di Holmo, che attraverso Finsoe controlla Unipol, di cui lui è presidente. Controllore e controllato. Ma il suo successore in Coop Adriatica, l'ex vicepresidente Gilberto Coffari, ha negato con decisione che esista un conflitto di interessi. Fatto sta che nei sei mesi seguenti all'ascesa in Unipol, Stefanini si è liberato di qualche carica. Prima ha scelto Carlo Salvatori come amministratore delegato della compagnia assicurativa, inducendo l'altro boss della cooperazione rossa, Campaini, ad abbandonare; poi ha annunciato la rinuncia al vertice di Coop Adriatica.

Gli piace passare le vacanze in Sardegna, dove ha comprato con il cognato una casetta nell'entroterra di Alghero. Prima si accontentava di un agriturismo. I suoi amici lo definiscono «il volto pulito che viene dalla gavetta». Superata nel fatturato da Unicoop Firenze, Coop Adriatica si presenta come «la più importante catena distributiva italiana e, insieme, la più grande organizzazione di consumatori»: conta più di 9.000 lavoratori del gruppo, 934.000 soci, 1,65 miliardi di fatturato netto nel 2006; ha una rete di 139 fra iper e supermercati sparsi in Emilia Romagna, Veneto, Marche e Abruzzo. Ha poi a disposizione risorse finanziarie per 1,75 miliardi attraverso il prestito sociale.

Un regno tentacolare che comprende librerie, agenzie di viaggi, associazioni culturali, commercio elettro-

nico, iniziative assistenziali. Ha promosso la costituzione della "supercentrale" di acquisti comuni con Conad avviata a fine 1999; e quando un parlamentare del CCD evocò l'Antitrust contro l'accordo, Stefanini replicò: «Si tratta di una cosa che fa sorridere». Fu lui a lanciare il portale internet unico delle Coop e i cosiddetti "mercatini telematici" chiamati punti "Coop di più" attrezzati con computer e personale tecnico, dove navigare in Internet e acquistare prodotti turistici, assicurativi e finanziari.

Ha acquistato il tour operator Robintur, 46 agenzie viaggi della catena, altrettante in franchising (fatturato annuo sui 150 milioni di euro).

È sempre su impulso di Stefanini che partì la campagna per consentire ai supermercati di vendere farmaci da banco: battaglia vittoriosa grazie al decreto Bersani-Visco varato dal governo di centrosinistra. La Coop di Stefanini era già entrata nel commercio dei medicinali nel 2004, anno in cui aveva costituito Pharmacoop Adriatica per partecipare (vittoriosamente) alla gara d'appalto per gestire le farmacie comunali di Padova. Quest'ultima società appartiene alla holding Pharmacoop (costituita da Coop Adriatica, Coop Estense, Coop Consumatori Nordest, Coop Lombardia) che gestisce una trentina di farmacie in Emilia Romagna, Lombardia e Veneto. E punta non soltanto a commercializzare medicinali a marchio Coop, ma soprattutto ad affiancare (e forse a soppiantare) la catena distributiva delle farmacie tradizionali: va in questo senso il tentativo di inserire anche le medicine di fascia C tra le specialità in vendita negli ipermercati.

Stefanini non si è fatto mancare nemmeno un colossale *spin-off* immobiliare con conseguente quotazione

in Borsa della IGD Spa (Immobiliare grande distribuzione), controllata assieme a Unicoop Tirreno e presieduta dal delfino Coffari. A IGD sono stati conferiti nove centri commerciali e ipermercati per un valore di circa 600 miliardi: l'operazione ha generato una plusvalenza straordinaria di 105 miliardi di lire.

Da un'idea di Stefanini, attuata da Romano Montroni, per 40 anni direttore delle Librerie Feltrinelli, sono nate le Librerie Coop: tre punti vendita già inaugurati (quello di Bologna da Guido Rossi, forse perché il grande avvocato d'affari, che fu eletto senatore indipendente nelle liste del PCI, a Milano abita in un appartamento soprastante a quello di Umberto Eco). L'obiettivo è di aprirne altre 15 in tre anni.

Sempre sul fronte economico-culturale, Stefanini non ha fatto mancare contributi alla Fondazione Gorbaciov e ha lanciato la maratona di lettura "Ad alta voce" nelle strade di Bologna. Manca soltanto Tele Coop. Ma quando il presidente di Mediaset, Fedele Confalonieri, l'ha fatto notare con una certa dose di ironia, Stefanini ha ribattuto prendendosi molto sul serio: «Magari ci fosse la Coop Television, sarebbe un fattore di pluralismo. Più operatori nel mercato, maggiore pluralismo, maggiori benefici per tutti i cittadini, per l'economia e naturalmente anche per le imprese cooperative. È un fatto che la destra non riesce a capire». Ma che sfugge anche ai vertici delle Coop, considerata la tenacia con cui difendono i propri monopoli.

Il nome di Stefanini affiora varie volte nelle telefonate di Giovanni Consorte registrate nel corso delle indagini, e anche in conversazioni con Massimo D'Alema. Nel luglio 2005 il numero uno di Unipol incitava l'uomo che sei mesi dopo avrebbe preso il suo posto

a convincere i responsabili delle Coop «a mettersi in fila» per tirare fuori i soldi necessari all'operazione BNL, della quale Stefanini (a differenza di Campaini) è stato sempre fautore. Un'altra volta Consorte si sfogò con lui contro Ricucci e gli immobiliaristi.

Stefanini ha sempre difeso Consorte: lo ha fatto prima dello scandalo, appoggiando la scalata alla banca romana, e anche dopo, riparandolo per quanto possibile dagli attacchi concentrici. Elementi in comune tra le OPA su BNL e su Antonveneta? «Nessuno, soltanto una coincidenza temporale». Rapporti tra Consorte e "furbetti del quartierino"? «Con Stefano Ricucci non risultano, con Emilio Gnutti c'è una collaborazione in corso da anni». Le chiacchierate compromettenti con Fassino? «Del tutto legittimo che il segretario DS telefoni a Consorte così come ha fatto e farà con altri imprenditori». La polemica sulle intercettazioni? «Stucchevole e fuori misura». Giudizio su Consorte? «Ha messo nell'impresa una passione e una professionalità molto elevate». Ma Campaini lo definisce un "virus pericoloso"... «Mi sembra un'affermazione secca e francamente non accettabile, non giusta, anche se quanto abbiamo appreso ci ha addolorato e colpito».

Stefanini ha sempre difeso la scalata di Unipol alla BNL, spiegandone il fallimento con i «pregiudizi verso le Coop». Curioso e singolare che le Coop, monopoliste del mercato della grande distribuzione in larghe zone d'Italia, si lamentino dell'ostilità del sistema contro di loro. Queste sono le parole di Stefanini: «Che ci sia in Italia una difficoltà di spazio perché si affermino nuovi soggetti è un dato reale. Il nostro è un mercato che fa fatica ad aiutare quelli che cercano di emergere, a realizzare nuovi percorsi di crescita. C'è una forte

chiusura, c'è un circuito chiuso e questo ha pesato sull'esito negativo dell'OPA».

Ancora: «Si è manifestata inoltre un'ostilità forte, di tipo politico ed economico, sia nei confronti di Unipol che verso il mondo cooperativo. Questo ha rappresentato una novità importante in questi anni, indipendentemente dal fatto che possiamo apparire simpatici o meno, oppure politicamente affini a questo o quel "partito". Chi non lo vuol vedere è perché ha dei pregiudizi». Pregiudizi, ostilità, difficoltà di spazio verso nuovi soggetti. Parole sante, ma l'oggetto di tanta chiusura non sono certo le Coop rosse.

La lunga campagna acquisti

Negli ultimi anni la Legacoop ha messo a segno grandi acquisizioni. L'Unipol ha rilevato le assicurazioni Meie dal gruppo Telecom e le attività italiane del gruppo Winterthur, mentre ha fallito di poco l'acquisto della Toro. Le Coop di costruzioni CCC e CMC sono entrate nella cordata per la realizzazione del ponte sullo Stretto di Messina e per la costruzione dell'Alta Velocità su rotaia tra Italia e Francia, hanno avuto in portafoglio importanti commesse per gli impianti delle Olimpiadi invernali di Torino, lavorano alla nuova tratta ferroviaria Milano-Bologna, al passante di Mestre, alla metropolitana di Milano, e hanno manifestato interesse alla costruzione a Vicenza della nuova caserma Ederle che ospiterà tremila soldati statunitensi con le loro famiglie. Una base militare che la sinistra estrema osteggia in ogni modo. Inoltre, Coopsette, cooperativa di Reggio Emilia, si è aggiudicata il contratto per la realizzazione delle opere di sottoattraversamento ferroviario (TAV) e della stazione della città di Firenze.

Manca soltanto una grande banca di livello nazionale: è questo il cruccio che ha spinto i cooperatori rossi a una serie di ardite operazioni tramite Unipol. La con-

quista della BNL, l'appoggio alla Popolare di Lodi per l'ascesa in Antonveneta, il sostegno a Montepaschi: le incursioni nel mondo creditizio sono state guardate con benevolenza dall'ex governatore della Banca d'Italia, il cattolicissimo Antonio Fazio, che per motivi "patriottici" preferì spianare la strada alle Coop rosse a scapito degli investitori stranieri. Se a Unipol fosse riuscito il colpo grosso di acquistare la Banca Nazionale del Lavoro, avrebbe visto la luce il sesto conglomerato finanziario in Italia per totale di attività e margini, subito a ridosso del gruppo Capitalia, e addirittura il quarto per ricavi.

A tutte le critiche il presidente Giuliano Poletti risponde sicuro del fatto suo. La scalata Unipol a BNL? «Un'operazione legittima e in linea con le esigenze di crescita del mondo cooperativo». Le telefonate (intercettate) attraverso cui venivano informati i vertici dei DS? «Un fatto del tutto normale, vista la complessità dell'operazione e il sistema di relazioni in atto, ma non ci sono stati comportamenti scorretti, né tanto meno ingerenze». Le accuse di collateralismo con il "partito" della Quercia? «Fenomeno finito, ormai è soltanto un pezzo della storia d'Italia».

Porte girevoli tra Coop e Quercia

Se fosse davvero così, se il collateralismo fosse davvero un capitolo archiviato, qualcuno dovrebbe spiegare il perché dell'intrecciarsi di telefonate tra Consorte, Fassino e D'Alema ai tempi della scalata alla Banca Nazionale del Lavoro. E soprattutto perché tra PCI-PDS-DS e Legacoop c'è stata e continua a esistere una

vera osmosi dirigenziale. Il leader storico della cooperazione, Ivano Barberini, ora presidente dell'Archivio Disarmo, siede anche nel Consiglio di amministrazione della Fondazione Italianieuropei di Massimo D'Alema e Giuliano Amato, ente finanziato dalle Coop. Il suo successore, Giuliano Poletti, è stato consigliere del PDS alla Provincia di Bologna e in precedenza assessore del PCI al Comune di Imola.

Risalendo indietro negli anni, nella vita di ciascun presidente di Legacoop si trova una costante: la tessera del Partito Comunista Italiano. Giulio Cerretti: dirigente del PCI. Silvio Paolicchi: segretario della federazione comunista di Pisa. Silvio Miana: segretario regionale del PCI dell'Emilia Romagna. Vincenzo Galetti: segretario della federazione comunista di Bologna. Valdo Magnani: deputato del PCI. Onelio Prandini: deputato del PCI. Lanfranco Turci: presidente della Regione Emilia Romagna e senatore della Quercia. Giancarlo Pasquini: consigliere comunale del PCI a Bologna. Le nomenklature delle Coop traboccano ancora di personaggi le cui carriere sono tutte un andirivieni col "partito", un vortice di pedine che si scambiano. E che magari vengono a trovarsi in posizioni potenzialmente conflittuali.

A Ravenna il responsabile del settore agroalimentare della Legacoop cittadina, Gilberto Minguzzi, è stato assessore provinciale all'agricoltura per il "partito". Il reggiano Oddo Torelli, che fu assessore comunale all'urbanistica e provinciale alla pianificazione del territorio, adesso presiede la Orion, grossa cooperativa edilizia di Cavriago con oltre 200 milioni di fatturato che vanta molti fiori all'occhiello, dagli impianti per le Olimpiadi invernali di Torino (pista da bob, Oval, villaggio giornalisti) al raddoppio del raccordo anulare di

Roma. Torelli insomma si occupa sempre di lavori pubblici, ora come imprenditore cooperativo ora come amministratore pubblico.

Le ramificazioni arrivano fino al settore bancario. Un caso eclatante: Antonella Spaggiari, sindaco diessino di Reggio Emilia per 13 anni e dipendente della Legacoop cittadina (è responsabile del settore servizi), presiede la fondazione Manodori-Cassa di risparmio di Reggio Emilia. Un ente che è importante azionista di Capitalia e, con la fusione Capitalia-Unicredit, del primo gruppo bancario italiano nel cui *board* esprimerà un proprio consigliere nella persona di Donato Fontanesi, presidente della reggiana Coopsette.

Le inchieste finite nel nulla

Questa girandola di nomi aveva attirato, negli anni '90, l'attenzione dell'INPS: ne nacque uno scandalo clamoroso ma passato sotto silenzio grazie al fatto che nelle aule di giustizia delle regioni rosse si usano due pesi e due misure. Da una serie di controlli, l'istituto previdenziale aveva notato che i funzionari del PCI-PDS eletti a incarichi pubblici (sindaco, assessore, consigliere comunale, eccetera) si erano licenziati dal "partito" per essere assunti da strutture della Legacoop.

Centinaia di persone in tutta Italia, ma soprattutto nelle regioni governate dalla sinistra (Emilia, Toscana, Umbria), avevano chiuso il "triangolo rosso" passando dal "partito" ai vertici degli enti locali attraverso le Coop. Perché non hanno continuato a fare i funzionari di Botteghe Oscure? Non certo per nascondere la triplice veste (ex funzionari del PCI-PDS, dipendenti in

aspettativa di cooperative, amministratori pubblici) con cui si interessavano di piani regolatori e concessioni edilizie. Era questione di soldi.

La legge infatti consente ai lavoratori dipendenti diventati pubblici amministratori di mettersi in aspettativa, raddoppiando l'indennità di carica a spese del Comune e scaricando sullo stesso ente pubblico il versamento all'Inps dei contributi che invece spetterebbero al datore di lavoro. Ma un emendamento alla legge proposto da Marco Pannella, nemico storico della partitocrazia, precluse questo beneficio ai dipendenti dei partiti. Insomma, un funzionario del PCI che fosse stato eletto sindaco non avrebbe goduto della doppia indennità mentre i suoi oneri previdenziali sarebbero rimasti sulla groppa del Bottegone.

Il PCI tuttavia trovò il sistema di eludere la legge. I dipendenti diedero le dimissioni dal "partito", passarono alle Coop rosse e immediatamente furono collocati in aspettativa. L'intera Giunta comunale di Modena, sindaco e otto assessori, furono assunti alle ore 9 dalla Libreria cooperativa Rinascita e messi in aspettativa alle ore 9.05. Con il doppio stipendio e con i contributi a carico dello Stato, non più del "partito".

I rilievi dell'INPS finirono sui tavoli delle Procure. Furono aperte inchieste in tutta Italia; soltanto in Emilia Romagna 66 amministratori comunisti, socialisti e repubblicani furono indagati per la presunta irregolarità della loro posizione. Ed ecco scattare la disparità di trattamento: archiviazione nelle regioni rosse, condanne altrove. All'ex sindaco socialista di Vercelli, Fulvio Bodo, fu inflitta la pena di un anno e otto mesi di reclusione (sentenza confermata in Cassazione) perché era stato assunto fittiziamente da una società immobi-

liare per poter andare in aspettativa e lucrare la doppia indennità. In Emilia, invece, i procedimenti furono archiviati.

Per il senatore Terzo Pierani (PDS), sindaco di Riccione, non c'erano prove che non avesse mai lavorato per la società che l'aveva messo in aspettativa. A Modena invece il GIP chiuse il fascicolo perché il fatto non costituiva reato, motivando: «L'assunzione corrispondeva a una opzione professionale che il "partito" (precedente datore di lavoro) offriva ai suoi ex funzionari nel momento in cui ragioni di opportunità politica – si deve riconoscere, lodevoli – sconsigliavano di mantenere alle dipendenze dell'apparato gli eletti in cariche pubbliche». Quello che a Vercelli è reato per un sindaco socialista, a Modena è comportamento «lodevole» per un primo cittadino tesserato del PDS.

La strana legge sui farmaci

Nonostante ciò che tutti proclamano, il rapporto privilegiato tra il "partito", la politica e le Coop continua a sussistere. Ne è un esempio il primo "decreto Bersani", quello che liberalizzò la vendita dei farmaci da banco nei supermercati. Una liberalizzazione mirata, giacché i vincoli imposti dalla normativa escludono di fatto dai benefici le catene come Esselunga.

La legge prevede infatti che i medicinali siano venduti in appositi reparti, separati dagli altri prodotti in commercio e ben identificabili, alla presenza di almeno un farmacista iscritto all'Ordine. Un obbligo che rende possibile l'apertura di questi spazi solamente in negozi di grandi dimensioni, in pratica soltanto negli

ipermercati: una fascia di mercato in cui sono presenti primariamente le Coop.

L'obbligo della presenza del farmacista, poi, comporta l'assunzione di tre se non quattro persone, visto che nella grande distribuzione i punti vendita restano aperti sei giorni alla settimana su sette (in certi periodi anche la domenica) per 13 ore giornaliere. Federdistribuzione, la federazione che raggruppa gran parte delle aziende del settore, aveva chiesto al governo di fare una riforma vera, cioè di consentire di mettere in vendita senza alcuna intermediazione i farmaci da banco, come avviene da sempre nei Paesi stranieri. Niente presenza del farmacista, visto che quelle specialità sono di automedicazione, essendo state concepite per essere utilizzate senza l'intervento del medico.

Anche Federfarma, la federazione delle farmacie private, era d'accordo. Ma Bersani non tenne conto di queste richieste e decise di non eliminare il farmacista dai supermercati. Una scelta in linea con la bozza di legge predisposta proprio dalle Coop nel 2005, le cui proposte sono dunque state accolte in pieno. A che cosa è funzionale la presenza dei camici bianchi? Ci vuol poco a capirlo: fra qualche anno le Coop faranno pressione per trasformare questi reparti in farmacie vere e proprie, dove possano essere vendute tutte le specialità; si comincerà con la commercializzazione dei farmaci di fascia C. E così la liberalizzazione, a loro uso e consumo, sarà completa.

«La grande sfida per i prossimi anni», ha detto Giovanni Doddoli, presidente di Legacoop Toscana, «sarà quella di generare cooperazione in nuovi settori nei quali adesso la cooperazione non è presente: terziario avanzato e utility. L'obiettivo è quello di creare lavoro

e ricchezza diffusa e non individuale, il che si concilia benissimo con un sistema economico che voglia evolvere i propri modelli nel desiderio di svilupparsi». Dalle pulizie alla gestione dei centri telematici, dai trasporti per le aziende della GDO alle librerie, dalle pompe di benzina al business dei telefonini, dal turismo alla gestione della previdenza complementare: ecco alcuni cavalli di battaglia delle Coop.

Piazza Affari e "tesoretti" esteri

Accanto a settori tradizionali come pesca, agroalimentare, costruzioni, imprese di pulizie, assistenza sociale, prendono piede attività cooperativistiche più innovative, come la logistica, le comunicazioni, l'ingegneria e la progettazione. Ma la passione più recente e più rischiosa è la finanza. L'alta finanza, quella che vive nei templi del capitale, fatta di scatole cinesi per il controllo delle società, di speculazioni, di operazioni in paradisi fiscali stranieri, di "tesoretti" esteri esentasse (ne sa qualcosa Coopservice di Reggio Emilia). E di ricche plusvalenze come quella pari a 6,5 milioni di euro realizzata nel 2006 da Coop Adriatica grazie alla vendita delle azioni BNL a BNP Paribas.

La prima Coop a quotarsi è stata Unipol, nata nel 1963 e diventata negli anni recenti la terza compagnia assicurativa italiana con premi per 8,4 miliardi di euro, forte di un gruppo che fornisce anche servizi bancari, finanziari, di gestione del risparmio e consulenza; è controllata dalla finanziaria Finsoe a sua volta posseduta dalla finanziaria Holmo, di cui sono socie 46 grandi cooperative capaci di deliberare un aumento di capi-

tale di 444 milioni di euro. «C'è e ci sarà sempre più necessità di finanza per le Coop che vogliono crescere», ha spiegato Poletti, presidente di Legacoop. Infatti Unipol è affiancata da Coopfond (gestore del fondo mutualistico generato dal 3% degli utili annuali di tutte le Coop aderenti alla Lega), Finec Merchant (finanziaria d'affari), CCFS (Consorzio cooperativo finanziario per lo sviluppo).

La quotazione in Borsa è un terreno ancora poco esplorato ma assai redditizio, e i cooperatori lo sanno bene. Unipol e soprattutto IGD hanno realizzato plusvalenze ricchissime grazie al collocamento. Il segreto, secondo gli analisti di Intermonte, ING ed Euromobiliare, sta proprio in «un modello di business dotato di un'elevata visibilità e solidità», all'interno di un contesto congiunturale in «netta espansione». Pronte a spiccare il balzo verso il cuore del mercato capitalistico sono altre grandi realtà aziendali a controllo cooperativo, come Manutencoop Facility Management Spa (servizi alle imprese) e Grandi Salumifici Italiani Spa (marchi Unibon e Senfter).

Un colpaccio stava per essere realizzato da Coopservice di Cavriago (Reggio Emilia), colosso del settore pulizie industriali, sicurezza e logistica, che ha portato in Borsa la controllata Servizi Italia di Soragna (Parma), azienda leader delle lavanderie industriali e sterilizzazione di biancheria e strumentazione chirurgica. Qualche mese prima della quotazione, Coopservice ha piazzato alla Fondazione Manodori di Reggio oltre il 40% del capitale che in seguito ha ricomprato quasi per intero trasferendolo contestualmente a una finanziaria in Lussemburgo, la First Service Holding (FSH). Un'operazione di *portage* realizzata grazie all'ente di cui è pre-

sidente l'ex sindaco reggiano, la diessina Antonella Spaggiari, manager di Legacoop.

Il prezzo di riacquisto è stato di 1,149 euro per azione. Poi Coopservice ha curato un aumento di capitale di FSH invitando la platea dei propri 5.000 soci ad aderirvi: soltanto 300 però, una parte molto minoritaria, hanno deciso di investire nel Granducato consentendo così ai vertici della cooperativa, con in testa il presidente Pierluigi Rinaldini e il vice Barbara Piccirilli, di rastrellare le quote inoptate raggiungendo il 9,5%. Con il collocamento, i circa cinque milioni di titoli Servizi Italia acquistati dalla Manodori a 1,149 sono balzati a 8,5 euro. Significa che i 300 lungimiranti soci di Coopservice e FSH si sono ritrovati un "tesoretto" esentasse di 36 milioni di euro in Lussemburgo.

La gigantesca speculazione doveva estendere i benefici della grande finanza ai tanti piccoli cooperatori che non erano mai andati oltre gli interessi maturati sul libretto del prestito sociale. Ma l'operazione si è trasformata in un boomerang altrettanto colossale: Legacoop, rimasta all'oscuro di tutto fino a quando è stato pubblicato il prospetto relativo al collocamento di Servizi Italia, ha preso malissimo la manovra, costringendo i vertici di Coopservice a dare le dimissioni e a sconfessare l'ingegnosa costruzione finanziaria. Gli investitori dovranno restituire la favolosa plusvalenza. «È stata ottenuta in modo non corrispondente ai criteri di mutualità cooperativa», ha tuonato il numero uno di Legacoop Reggio Emilia, Ildo Cigarini.

Grande distribuzione: a Coop un quarto del mercato

Ma prima delle costruzioni e sopra la finanza, pulsa ancora il motore della Legacoop, la centrale che ne alimenta ogni progetto di crescita: la grande distribuzione. Un sistema strutturato in cooperative territoriali. La maggiore è Unicoop Firenze, la più grande azienda di tutta la Toscana, seguita da Coop Adriatica e Coop Estense. Al quarto posto si colloca Unicoop Tirreno (sede a Livorno), al quinto Coop Lombardia (Milano) e al sesto Coop Nord-Est (Reggio Emilia). Il perno di tutto il gruppo è Coop Italia, 12 miliardi di fatturato, la centrale acquisti e marketing che gestisce approvvigionamenti e politica commerciale, guidata da Vincenzo Tassinari.

Nella top ten interna a Legacoop, otto società appartengono alla GDO, una (Sacmi) è del settore meccanico e l'ultima (Granlatte-Granarolo, compartecipata anche da Confcooperative) fa parte del settore alimentare. In totale le aziende associate sono circa 160. Il marchio Coop detiene una quota del mercato nazionale della grande distribuzione pari al 17,2% che, unita al 9,2% di Conad, altri 8 miliardi di fatturato, porta la fetta spettante a Legacoop al 26,4%. Un quarto abbondante del totale.

Una presenza così massiccia delle cooperative nel settore distributivo è un fatto che non ha uguali negli altri grandi Paesi europei. In Francia il movimento mutualistico, rimasto forte nel comparto creditizio, è pressoché scomparso da quello della distribuzione, presidiato dai colossi privati Carrefour, Intermarché, Auchan, Casino, Leclerc (oltralpe la GDO copre il 60% delle vendite al dettaglio). Anche in Germania le Coop si sono ritirate dalla grande distribuzione

organizzata, il cui mercato ora è in mano a pochi attori: in testa il gruppo Metro, seguito da Rewe e Edeka. Le dieci maggiori imprese tedesche del settore controllano l'85% del mercato; allargando il computo alle 30 maggiori imprese, la quota controllata tocca il 98%.

Un'egemonia quasi assoluta

Ma in che modo Legacoop ha acquisito questa posizione di preminenza? I rapporti privilegiati con le amministrazioni locali dove da decenni governa la sinistra spiegano parecchie cose, ma non tutto. Le Coop sono favorite anche dalla loro struttura societaria e da un assetto legislativo e fiscale tutto particolare. Non sono imprese qualsiasi, ma si configurano come un anello intermedio tra settore pubblico e mercato; sono enti senza fini di lucro e dovrebbero devolvere una parte sostanziale degli utili a scopi mutualistici. L'acquisto e la cessione di quote non avvengono sul libero mercato: sono operazioni soggette all'approvazione del Consiglio di amministrazione. Nessun socio può avere la maggioranza delle quote e ogni socio ha diritto a un voto (il cosiddetto voto capitario); di conseguenza le Coop non sono contendibili. Insomma, non sono soggette alle leggi del libero mercato. Appartengono a una sfera protetta.

Il management ha un grande potere e non si deve preoccupare di tenere a bada gli azionisti. Non essendo le Coop scalabili, i suoi manager si trovano a gestire un'egemonia quasi assoluta. Chi difende il patrimonio collettivo dal potere dei suoi amministratori? Che

cosa accadrebbe se una grande operazione condotta da un protagonista del sistema cooperativo si dovesse rivelare un boomerang? Una risposta, purtroppo, esiste già. Basta recarsi nel Ferrarese, dove decine di migliaia di persone sono state travolte dal crac della Cooperativa Costruttori di Argenta presieduta da Giovanni Donigaglia, frantumatasi dopo le inchieste della magistratura su appalti e corruzione. Torna in mente il pesante attacco sferrato già nel 1986 dall'allora segretario della CGIL, Bruno Trentin, alle «imprese che si chiamano cooperative solo per avere esenzioni fiscali» e che non trattano i lavoratori meglio delle altre. Giudizio ripetuto dall'ex sindacalista alla fine del 2005 in un'intervista all'*Unità*: «Le cooperative hanno perso l'anima».

Legacoop si è tuffata in questa inadeguatezza legislativa allargando l'originario raggio d'azione soprattutto sul versante finanziario. Le sue società sollecitano il risparmio, intervengono sul mercato dei capitali, emettono azioni e obbligazioni, sono quotate in Borsa pur mantenendo privilegi di cui le imprese concorrenti non godono, come le agevolazioni fiscali e il voto capitario. I privilegi tributari hanno un senso per le imprese più deboli, che non sono in grado di finanziarsi sul mercato dei capitali, mentre ormai non ne hanno più per i colossi cooperativi di oggi, che sono quotati o emettono titoli. Lo stesso vale per il voto capitario: per i gruppi maggiori, soprattutto se presenti in Piazza Affari, non ci può essere contendibilità a senso unico. Unipol – per fare un esempio – può scalare BNL, ma non viceversa perché lo impedisce la struttura proprietaria che sta a monte delle società cooperative.

Un regime fiscale di favore

L'elenco di privilegi riservati alle Coop è sbalorditi-vo. Primo fra tutti un particolare regime fiscale fissato dalle leggi che hanno regolato il settore ai suoi albori, in base alle quali gli utili delle cooperative non sono tassabili a condizione che non vengano distribuiti ai soci ma restino nel patrimonio della società stessa. È un riconoscimento alle caratteristiche dell'impresa cooperativa, la quale – almeno in linea di principio – non può chiedere finanziamenti al mercato come una qualsiasi altra società.

Ma il vantaggio, sia pure ridimensionato, è rimasto anche dopo che la riforma del diritto societario ha ridi-segnato il mondo delle Coop, distinguendo fra quelle a mutualità prevalente e non: le prime sono le Coop "tra-dizionali", in quanto svolgono gran parte della loro atti-vità in favore dei soci, si avvalgono delle loro presta-zioni lavorative e dei loro apporti di beni o servizi.

Per le cooperative a mutualità prevalente, i vantaggi fiscali sono molteplici: 1) la deducibilità dall'imponibi-le del 70% dell'IRES; 2) la deducibilità integrale degli utili destinati a riserve obbligatorie (riserva legale e fon-di mutualistici); 3) la deducibilità del 70% degli utili

destinati a riserve volontarie (purché indivisibili). Da tutto questo deriva che l'incidenza dell'IRES sull'utile lordo delle Coop è pari al 17%, mentre quella sull'utile lordo di una società non cooperativa è pari al 43%. Una differenza di 26 punti percentuali.

Il prestito sociale, risorsa inesauribile

La capacità di autofinanziamento e quindi di alimentare costantemente gli investimenti è garantita da un altro privilegio esclusivo delle Coop, soprattutto di quelle di consumo: il prestito sociale. Di fatto esse funzionano come fossero sportelli bancari (anche se la legge vieta «l'esercizio attivo del credito»): raccolgono i risparmi dei soci, li impiegano come meglio credono e distribuiscono interessi che i veri istituti di credito si sognano grazie al fatto che l'imposta sugli interessi non è pari al 27% (come per i depositi bancari) bensì a meno della metà: soltanto il 12,5%. Un bel risparmio, un affarone per tutti. Per i risparmiatori, che possono lucrare un interesse elevato; e per le Coop, messe nelle condizioni di autofinanziarsi con una massa di liquidità a buon mercato e soprattutto sottratta ai controlli delle autorità creditizie.

Questa montagna di denaro è complessivamente pari a 12 miliardi di euro: quanto una manovra finanziaria di media entità del governo. È questa la provvista-base con cui Unipol voleva dare la scalata alla Banca Nazionale del Lavoro. La legge concede la raccolta di denaro tramite prestito sociale per tutelare gli scopi sociali e mutualistici, ma di fatto le Coop usano i soldi prestati per fare investimenti, comprare titoli o magari

scalare banche, quelle stesse a cui fanno concorrenza.

Naturalmente le Coop spiegano che il prestito sociale viene impiegato per migliorare i servizi ai soci e renderli più convenienti. Esso «ha svolto e svolge una importante funzione di rafforzamento del rapporto di fiducia tra socio e cooperativa», si legge nel *Rapporto sociale del sistema Coop nazionale*, «e costituisce una componente economica importante ai fini dei risultati gestionali». In realtà, il prestito sociale è un sistema che consente alla galassia mutualistica di sovrapporsi alle banche e autofinanziarsi senza chiedere mutui o emettere obbligazioni, come invece sono costrette a fare tutte le altre imprese.

I soci aprono un libretto su cui vengono annotati versamenti e prelievi. Sul medesimo può anche essere addebitata la spesa al supermercato Coop. Tutte le operazioni sono gratuite. L'unico limite è un tetto ai depositi, che non possono superare i 30.000 euro. Per le Coop i limiti di operatività non sono molti: devono mantenere liquido o investito in attività immediatamente liquidabili almeno il 30% della raccolta, vincolandone al massimo il 30% in immobili, impianti e partecipazioni societarie. La grande maggioranza dei capitali è collocata in titoli di Stato e obbligazioni societarie, con quote residue in fondi e altri strumenti finanziari. Non c'è banca o ufficio postale che possa offrire al risparmiatore condizioni paragonabili a queste.

Un caso concreto aiuta a capire meglio quanto siano distanti i binari su cui corrono le Coop e quelli sui quali arrancano le imprese private. Il bilancio 2004 della Coop Estense, tra i principali finanziatori della galassia Unipol, mostra che a fronte di ricavi per 1,2 miliardi di euro il patrimonio netto è pari a 485 milioni e i finan-

ziamenti dai soci ammontano addirittura a 869 milioni, dei quali 654 investiti in Buoni del Tesoro, obbligazioni, fondi, assicurazioni e azioni Unipol e Banca Popolare dell'Emilia. Mentre dunque la concorrenza è costretta a chiedere i soldi alle banche e a pagare interessi di mercato, Coop Estense per quell'immenso capitale ottenuto in prestito dai soci versa più o meno l'1,5%. Reinvestendo il denaro in BTP guadagna quasi il doppio. Analogo discorso vale per la Coop Adriatica, all'epoca gestita da Stefanini.

Il patrimonio netto delle singole società aderenti a Legacoop, gonfiatosi nel tempo grazie al meccanismo della fiscalità agevolata, sarebbe di per sé sufficiente a finanziarne la gestione caratteristica. Il prestito sociale è un'ulteriore fonte di liquidità, parcheggiata in titoli o investita nella galassia finanziaria rossa. Ecco il quadro in cui operano le Coop, che vogliono competere sul mercato senza rinunciare ad ammantarsi di finalità sociali, in virtù delle quali ottengono vantaggi fiscali unici e godono di assetti societari che le rendono autoreferenziali, non controllabili né scalabili.

Nel mirino della UE e della Cassazione

È talmente vistosa questa anomalia che le istituzioni comunitarie hanno deciso di promuovere accertamenti ufficiali. La Commissione Europea ha infatti inviato a Palazzo Chigi una lettera nella quale chiede conto del regime agevolato di cui godono le nove maggiori cooperative. La contestazione principale riguarda proprio il fatto che, a differenza delle altre imprese, le Coop non pagano l'IRES su buona parte degli utili. A Bruxelles

sospettano che anche la nuova normativa configuri un aiuto di Stato, vietato dai Trattati europei. La richiesta non rappresenta ancora l'apertura di un'inchiesta formale, ma è il passo preliminare per permettere al commissario alla Concorrenza di decidere se farla partire.

Era stata l'associazione nazionale delle aziende della grande distribuzione, Federdistribuzione, a presentare alla Commissione UE un esposto nel quale si fa presente che le cooperative sono ormai aziende leader nei rispettivi campi di azione. E che proprio per questo avrebbero perso la natura mutualistica, e quindi la funzione sociale, delle origini. Tanto basterebbe per applicare alle Coop lo stesso regime fiscale applicato a tutte le altre imprese.

Anche la Cassazione aveva messo sotto la lente gli sgravi, chiedendo lumi alla UE. «I regimi fiscali di favore concessi a determinate imprese o produzioni», ha argomentato la Suprema Corte, «possono costituire aiuti di Stato». Sotto la lente dei giudici italiani e della concorrenza europea non è finita soltanto la grande distribuzione: nell'inchiesta potrebbero infatti essere coinvolte anche le banche che appartengono al sistema cooperativo. Un passaggio della lettera della Commissione fa riferimento proprio a questo mondo e chiede al governo quali misure di controllo siano state varate «dall'autorità incaricata della vigilanza bancaria per assicurare il rispetto dei requisiti di mutualità previsti per la concessione dei benefici fiscali».

L'Unione Europea ha avanzato un ampio ventaglio di richieste. Si vuole sapere se gli sconti fiscali siano previsti da una legge precedente alla firma dei trattati UE: nel caso in cui la norma fosse successiva, scatterebbe

l'obbligo di recupero retroattivo degli aiuti che l'eventuale procedura di infrazione dovesse giudicare illegali. Si vuole conoscere l'ammontare annuo degli sgravi concessi e i risultati di bilancio delle nove centrali cooperative, anche per valutare l'impatto della loro attività sulla concorrenza. Si vuole comprendere la ragione di eventuali deroghe al divieto di aiuti di Stato sancito dai trattati europei.

Controllori e controllati

A proposito di bilanci. Chi controllava i conti delle maggiori cooperative di consumo e di distribuzione quando scoppiò il caso Unipol? Una società di revisione semisconosciuta su cui sono state presentate interrogazioni parlamentari. Si chiama Uniaudit Spa ed è di Bologna. Non essendo iscritta nell'elenco speciale della Consob, non può annoverare società quotate in Borsa tra i clienti. Che cos'ha dunque di tanto speciale da consentirle di egemonizzare la certificazione dei conti cooperativistici? Semplice: Uniaudit è una società "di casa". Il principale azionista (35%) è Unipol, poi figurano le Coop medesime e alcuni privati, tra i quali esponenti di primo piano del mondo cooperativo. Per un periodo, tra i soci appariva anche Giovanni Consorte, che poi però vendette la propria quota. Legacoop Bologna la promuove tra le aziende associate in grado di fornire il servizio di controllo contabile.

Succede dunque che questi colossi del commercio e della finanza non si affidino a grandi società di revisione indipendenti, ma a una piccola realtà che indirettamente è una loro controllata. Il corto circuito è lam-

pante: un conflitto di interessi che in altri casi avrebbe fatto alzare fortissime voci di scandalo. I clienti di Uniaudit sono gli stessi padroni di Uniaudit, ai quali Uniaudit dovrebbe fare le pulci sul bilancio.

Greganti, Peruzzi e le indagini degli anni '90

Il Parlamento, il governo, l'Unione Europea, le Corti di giustizia. Non soltanto questi soggetti si sono occupati della Lega delle Cooperative. Anche le Procure della Repubblica, soprattutto negli anni '90. L'inchiesta "madre", per molti aspetti, fu quella condotta dal pubblico ministero veneziano Carlo Nordio. Il magistrato indagò i segretari nazionali del PDS, Achille Occhetto e Massimo D'Alema, e li prosciolse. Dagli atti emerge chiaramente la funzione delle Coop rosse, e delle finanziarie controllanti-controllate, come braccio economico dell'ex Partito Comunista. Il meccanismo fu messo in luce da Giuliano Peruzzi, consulente delle Coop e braccio destro di Primo Greganti, responsabile amministrativo del PDS.

Sui rapporti economici tra Coop e PCI-PDS in quegli anni fu alzato un vero fuoco di sbarramento, teso a negare l'esistenza dell'asse tra "partito" e aziende. Nei mesi scorsi, invece, nel turbine dello scandalo Unipol, il giudizio è mutato. Si è detto che «il collateralismo è finito», non che non è mai esistito. Che i legami tra la parte politica e il suo braccio economico si sono allentati rispetto al passato: dieci anni prima, invece, si ne-

gava tutto, anche l'evidenza. Ora la linea è cambiata.

«Il rapporto era organico, con finanziamenti indiretti ma occulti», ha spiegato il pm Nordio. «Furono raggiunte prove evidentissime del fatto che le Coop rosse finanziassero il "partito", ma per il Codice la responsabilità penale è personale. E io non ho mai accettato il principio secondo cui chi sta al vertice "non può non sapere". Una cosa sono i finanziamenti al "partito", altra cosa la responsabilità penale individuale rispetto al finanziamento clandestino e continuativo delle società cooperative, dimostrato dall'inchiesta».

Peruzzi svelò come funzionavano l'economia nascosta del "partito" e gli intrecci tra Finsoe, Finsoge e PCI-PDS. Il magistrato veneto arrivò a calcolare l'esistenza di un patrimonio immobiliare della Quercia dell'ordine di mille miliardi di lire, ma a Botteghe Oscure non spiegarono come si fosse potuta accumulare una fortuna del genere, che riconduceva a decine di società immobiliari e a intestazioni fittizie: centinaia di prestanome, fedeli militanti del "partito" che ne era il vero proprietario. Era stata la Procura della Repubblica di Milano nel 1993, durante una perquisizione a Botteghe Oscure, a scoprire una stanza piena di fascicoli relativi agli immobili posseduti dalla Quercia, ma la documentazione per un errore non fu sequestrata subito. E il giorno dopo era sparita: un episodio sul quale si aprì un'inchiesta.

«Avevamo fatto uno *"screening"* degli organigrammi di Coop e PCI-PDS verificando come i vertici delle aziende fossero interscambiabili con quelli della Quercia», ha raccontato Nordio. «Poi scoprimmo che le assunzioni fittizie fatte dalle Coop servivano a favorire il trattamento economico-previdenziale dei dipendenti

del "partito". Fatti ampiamente confermati ai magistrati inquirenti di Milano, Napoli e Venezia da chi vi aveva lavorato. Il primo canale di finanziamento del PCI era quello che veniva dall'Unione Sovietica, un Paese che teneva i suoi missili puntati su di noi. Inoltre il "partito" incassava provvigioni sul commercio con i Paesi dell'Est».

E le Coop? «Esse avevano una riserva rigorosa di appalti pubblici frutto di accordi politici spartitori a livello nazionale e regionale», ha ricostruito il magistrato. «In questo senso non c'era alcuna differenza tra DC, PSI e PCI: si erano divisi equamente tutto, con qualche briciola per gli alleati minori. Democristiani e socialisti sponsorizzavano le imprese amiche, i comunisti le Coop. Ai primi due partiti giungevano contributi in denaro con i quali si pagavano i funzionari e le altre spese; a Botteghe Oscure i funzionari erano pagati dalle Coop, ma lavoravano per il "partito". Risultato identico attraverso strumenti diversi. Anche dal punto di vista penale: la mazzetta integra il reato di corruzione, il sistema del PCI no. Un altro modo di finanziamento era quello della pubblicità inesistente: le Coop pagavano cifre enormi per farsi pubblicità sui giornaletti del "partito". Spesso le inserzioni, pagate, non venivano nemmeno pubblicate».

Anche la Procura di Napoli condusse lunghe indagini con i Reparti Operativi Speciali dei Carabinieri. Un'inchiesta sterminata: migliaia di documenti, testimonianze, bilanci, intercettazioni telefoniche; il solo riassunto finale occupa 1.200 pagine. Le carte parlano di bilanci falsi, fondi neri, licenze edilizie "facili", collusioni con la camorra, finanziamenti illeciti, truffe allo Stato, tangenti, società di comodo.

«La Lega delle Cooperative», si legge in un passo della relazione conclusiva dei ROS, «beneficiando dell'apporto incondizionato dell'organismo politico, accrescerebbe la propria forza economico-imprenditoriale garantendo ai partiti di riferimento il mantenimento economico e riversando, mediante alcune società, finanziamenti stornati, soprattutto illecitamente, dalle imprese del movimento cooperativo». E più avanti i ROS spiegano così il successo di Unipol: «La compagnia comincia la sua crescita inarrestabile, forte del consenso di tutti i sindacati italiani che senza esclusione partecipano al capitale sociale e garantita dalla protezione politica del PCI che impone a tutte le sue amministrazioni locali di sinistra di stipulare esclusivamente con Unipol qualsiasi polizza assicurativa di loro competenza».

Donigaglia e il crac di Argenta

Lo scandalo giudiziario più clamoroso che ha investito Legacoop, dopo quello Consorte-Unipol, ha come protagonista un ragioniere di Argenta (Ferrara), Giovanni Donigaglia, finito stritolato negli ingranaggi del "partito" che aveva fedelmente servito per tutta la vita. Un uomo che si accontentava dello «stipendio di un capomastro» (1.500 euro al mese), che per 43 anni ha guidato la Coopcostruttori, quarta impresa nazionale dopo Impregilo, Astaldi e Condotte, che era arrivata a fatturare 680 milioni di euro nel 2001 e a stipendiare 2.518 dipendenti impegnati in decine di cantieri in mezza Italia: i giornali l'avevano battezzata «la perla dell'universo rosso». Poi il crac. Il primo gruppo edili-

zio del pianeta Legacoop crollò sotto l'insostenibile peso di 870 milioni di euro di debiti. E le Coop, anziché venirgli in aiuto, decisero di liquidarlo.

Donigaglia per decenni fu il principale collettore di finanziamenti verso il PCI-PDS-DS. Negli anni di Mani Pulite fu arrestato cinque volte, passò 12 mesi in carcere, subì 32 processi finiti con 32 assoluzioni. Ma la sua creatura era finita: 900 lavoratori licenziati, altri 1.100 in cassa integrazione, senza contare il disastro finanziario per migliaia di famiglie – a cominciare dalla sua – che avevano investito tutti i loro risparmi nella Coopcostruttori e li hanno perduti.

Tra manifestazioni di piazza, assemblee di "partito", comitati spontanei si creò un clima di forte tensione. A casa di Donigaglia fu recapitato un pacco-bomba. Nel Ferrarese la cooperativa era vista al pari di una banca tale era la sua solidità e l'investimento nel prestito sociale, peraltro ottimamente remunerato, era considerato un punto d'onore. Qualche dipendente confessò che quasi si faceva riguardo a ritirare lo stipendio a fine mese. Chi aveva già raggiunto la soglia massima di deposito investiva attraverso i parenti oppure sottoscriveva le "azioni a partecipazione cooperativa" emesse più volte da Donigaglia per fronteggiare le crisi di liquidità, spesso senza avvertire i risparmiatori che si trattava di capitale di rischio.

Nell'aprile 2004 il giornalista Stefano Lorenzetto convinse il ragioniere ferrarese a parlare per la prima volta. L'intervista uscì su *Panorama*. Donigaglia raccontò che la Legacoop o direttamente il "partito" (il PCI ad Argenta era arrivato al 78%) gli avevano ordinato di salvare per convenienza elettorale, dal 1975 in poi, la CERCOM di Porto Garibaldi, la COPMA, la Feli-

satti e la CEI di Ferrara, e la CMR (Cooperativa Muratori Riuniti) di Filo d'Argenta, tutte destinate al fallimento. La Costruttori fu obbligata a rilevare perfino la CIR Costruzioni di Rovigo, cassaforte dei dorotei veneti, per fare un favore al ministro democristiano Antonio Bisaglia.

Questo patto consociativo, aggiunse Donigaglia, spalancò a Coopcostruttori le porte dell'edilizia pubblica: strade, ferrovie, ponti, dighe, viadotti, parcheggi, porti, trafori, scuole, ospedali, municipi, carceri, caserme, musei, centri sportivi, inceneritori, depuratori, opere di difesa ambientale, pozzi, discariche, centrali elettriche e del gas, reti fognarie, mattatoi. Donigaglia costruì la terza corsia dell'autostrada Serenissima, l'alta velocità ferroviaria Roma-Napoli, l'aeroporto di Malpensa 2000, la ferrovia Firenze-Empoli, la Salerno-Reggio Calabria, il porto di Gioia Tauro.

La Lega delle Cooperative, riferì ancora l'imprenditore, pretese da lui un obolo cospicuo per l'acquisto del Molino Moretti di Argenta, che aveva tra i suoi proprietari il marito dell'allora sindaco diessino Silvia Barbieri, la quale sarebbe poi entrata nello staff del segretario nazionale Piero Fassino e successivamente diventata senatrice e sottosegretario.

Per ordine di scuderia Donigaglia nel 1990 dovette persino acquistare la Spal, la squadra di calcio di Ferrara: bisognava dare una mano al Comune, amministrato dal PDS. Su sollecitazione del "partito" distribuiva quattrini a tutti, compresi organi di informazione e parrocchie. «Ero diventato il *refugium peccatorum*», spiegò. «E il "partito" come ricambiava?», gli chiese Lorenzetto. «Vigeva il consociativismo. La Legacoop otteneva la sua bella quota di lavori in ciascuna

opera pubblica. Ma per costruire c'è bisogno che la pratica segua un iter regolare, che gli espropri siano tempestivi, che le concessioni edilizie arrivino. Serve la politica per questo. E l'amicizia».

«Quando ho lasciato», rievocò Donigaglia, che adesso amministra una ditta nel Ragusano, «i debiti verso le banche ammontavano a 327 milioni di euro ma in portafoglio c'erano ordini per 1.086,5 milioni». Se la situazione non era così drammatica, perché la Costruttori fallì? Egidio Checcoli, presidente della Legacoop regionale ed ex sindaco comunista di Argenta (nonché ex dipendente della Coopcostruttori), ha sempre proclamato: «Noi, a differenza delle società di capitali, non abbandoniamo i nostri soci in caso di crac». Eppure nel caso della Coopcostruttori la Lega delle Cooperative si chiamò fuori, limitandosi a puntualizzare che la sua funzione di vigilanza era limitata «alla verifica del rispetto dei requisiti di mutualità», che le banche valutavano la possibilità di intervenire e che era stata avviata «un'azione di solidarietà in due direzioni: verso i lavoratori e verso i soci risparmiatori».

«Io ho sempre aiutato il "partito", ma nel momento del bisogno, quando il peso della crisi si abbatté tutto sulle mie spalle, il "partito" non ha aiutato me», è l'accusa di Donigaglia. «Io ho effettuato sottoscrizioni elettorali, sponsorizzazioni, ho comprato pubblicità sull'*Unità* e affittato spazi a festival e congressi. Tutto legale, tutte spese fatturate e messe a bilancio».

Nel 1997 la Legacoop inizia un'opera di ricostruzione e riorganizzazione delle cooperative uscite ammaccate da Tangentopoli, e tra queste c'era anche quella di Argenta. «Consorte studiò un piano di ristrutturazione finanziaria e organizzativa che fu abbandonato dopo

qualche mese», rincara oggi la dose Donigaglia. «Quando la situazione si aggravò, il pool di tre banche era pronto a finanziare il progetto industriale, ma la Legacoop disse che i soldi sarebbero arrivati a patto che io lasciassi. Obbediente, mi dimisi. Però alla fine l'Unipol negò l'appoggio al piano di salvataggio. E fu il tracollo. Consorte aveva soldi per tutti fuorché per la Costruttori. Noi non fummo aiutati, e poi abbiamo visto che tipo di fideiussioni si scambiava con Giampiero Fiorani della Banca Popolare di Lodi... C'è da farsi venire il voltastomaco. Io non ho mai rubato, ho creato posti di lavoro, ho aiutato il "partito". Invece il capo di Unipol trafficava in proprio con l'appoggio della Lega delle Cooperative, che nel frattempo aveva mollato me».

Come lucrare anche sul terremoto

L'ultimo scandalo giudiziario ha come teatro sempre il settore delle costruzioni e una regione rossa, ma lo sfondo è diverso: non l'Emilia, bensì l'Umbria. Il 30 maggio 2006 sono finiti in carcere il costruttore perugino Leonardo Giombini (legato alle Coop) e un architetto di Foligno, Raffaele Di Palma. Giombini ha costruito gli Ipercoop di Collestrada e di Terni, supermercati a Spoleto e Chianciano, immobili dell'Unipol, edifici pubblici. Il suo fatturato è "esploso" nel 1997, in coincidenza con gli appalti del dopo terremoto.

Secondo le accuse, l'impresario avrebbe messo in piedi un sistema di fondi neri grazie alle sue attività con la Coop Centro Italia, il cui presidente Giorgio Raggi è stato sindaco diessino di Foligno ed è vicepresidente della Banca Popolare di Spoleto in rappresentanza di

Montepaschi. L'immobiliare ICC della Coop affidava alla società SG Capital Srl di Giombini gli studi di fattibilità per la realizzazione di centri commerciali, supermercati, parcheggi, pagando prezzi superiori a quelli di mercato; poi aziende compiacenti facevano figurare con fatture false spese inesistenti a carico della SG: ed ecco la provvista in nero. Che secondo gli inquirenti serviva anche a pagare tangenti a politici.

Il terremoto in Umbria non fu tra i più disastrosi registrati in Italia. A questo punto v'è da chiedersi che cosa sarebbe potuto accadere in passato se le Coop avessero avuto mano libera nel Belice, in Friuli, in Irpinia... È proprio il caso di dirlo: la provvidenza c'è.

Stampato da
Grafica Veneta S.p.A., Trebaseleghe (PD)
per conto di Marsilio Editori® in Venezia

«Gli specchi Marsilio»
Periodico mensile n. 144/2007
Direttore responsabile Cesare De Michelis
Registrazione n. 1333 del 28.05.1999
Tribunale di Venezia
Registro degli operatori di comunicazione-ROC n. 6388

EDIZIONE

ANNO

10 9 8 7 6 5 4 3 2 1   2007 2008 2009 2010 2011